Désir sous contrat

JO LEIGH

Désir sous contrat

COLLECTION Audace

éditionsHarlequin

Cet ouvrage a été publié en langue anglaise
sous le titre :
ARM CANDY

Traduction française de
EMMA PAULE

Photo de couverture
© KEVIN DODGE / MASTERFILE

83-85, boulevard Vincent-Auriol, 75013 PARIS — Tél. : 01 42 16 63 63
Service Lectrices — Tél. : 01 45 82 47 47
ISBN 2-280-17466-9 — ISSN 1639-2949

1.

A minuit moins le quart, ce jeudi soir, Jessica Howell était à deux doigts de filer, l'âme tranquille, persuadée que tout le monde avait déserté les bureaux de Geller & Patrick Inc. Persuadée, aussi, qu'il lui suffirait, après avoir pris l'ascenseur, de sortir dans la rue et d'attraper un taxi pour rentrer tranquillement chez elle après sa dure journée de travail.

Erreur. Grossière erreur.

Owen McCabe, son patron, son ex-mentor et son « problème » actuel, jaillit de son bureau une seconde avant qu'elle ne presse le bouton d'appel de la cabine. Il lui flanqua une frousse d'enfer en arrivant dans son dos, si bien qu'elle en lâcha le dossier qui concernait la nouvelle ligne d'ombres à paupières sur laquelle elle travaillait. Ce qui fournit, bien entendu, une superbe excuse à son patron pour l'aider à ramasser ses papiers épars et, ce faisant, la frôler, d'une manière un peu trop appuyée pour être accidentelle…

— Vous avez travaillé aussi tard que cela, Jess ?

— Oui, et je suis épuisée, alors si vous vouliez bien m'ex…

— Pourquoi est-ce que nous n'irions pas finir la journée devant un bon verre ? rétorqua-t-il. Ça vous aiderait à dormir.

Elle prit une profonde inspiration et glissa les papiers dans son dossier.

— Merci, Owen, mais je ne vais avoir besoin d'aucune aide. A part un taxi.

— Ma voiture est juste en bas.

— Non, tout va bien. Rentrez donc chez vous. Je suis certaine qu'Ellen se fait du souci, vu l'heure qu'il est.

— Elle est au lit depuis des heures. Les garçons avaient un concours de gymnastique aujourd'hui. Ils l'ont épuisée.

— J'imagine, en effet, répondit-elle poliment.

Elle put enfin appuyer sur le bouton d'appel. Et elle fit une prière pour que l'ascenseur arrive au trot.

— Vous êtes au point pour la semaine prochaine ? lui demanda Owen, nonchalamment appuyé sur le mur à côté de la cabine.

— Tout à fait. Il me reste juste deux ou trois petits points à régler. Cela va être un succès phénoménal.

— Oui, j'en suis sûr. Grâce à vos efforts.

— Tout le monde s'est donné un mal de chien, vous savez.

— Avec vous comme capitaine et commandant.

Six mois auparavant, le compliment l'aurait fait sauter de joie, mais les choses avaient changé.

Quelque part en chemin, son patron s'était mis en tête qu'ils pourraient être plus que de simples collègues de travail. En dépit du fait qu'il était marié et père d'adorables jumeaux. En dépit du fait qu'elle ne lui avait jamais montré le plus petit signe d'encouragement. En dépit du fait qu'il savait parfaitement qu'elle n'avait ni le temps ni l'envie de sortir avec quelqu'un.

Elle avait réfléchi à la situation. Certes, elle aurait pu le poursuivre en justice pour harcèlement, mais au bout du compte, c'était elle qui aurait été perdante dans l'affaire. Car, même dans le cas où le jugement lui aurait été favorable, un procès ferait tache sur son CV. Elle avait donc fini par décider de continuer à travailler avec Owen jusqu'à ce que leur nouvelle ligne de produits de beauté soit en place. Ensuite, elle démissionnerait. Revlon lui avait déjà fait quelques avances, et elle était quasiment certaine qu'il allait y avoir un sérieux remaniement chez Clinique. Tout ce qui lui restait à faire, c'était d'agir pour que les deux semaines à venir s'écoulent sans fiasco majeur ! Ensuite, elle pourrait s'occuper de son avenir loin d'Owen.

— Vous êtes bien sûre que je n'arriverai pas à vous persuader ? insista-t-il alors que les portes s'ouvraient.

— Pas ce soir. Merci quand même. J'apprécie le geste.

Il lui effleura le bras alors qu'elle pénétrait dans la cabine.

— Et moi, je vous apprécie.

Elle sourit jusqu'à ce que les portes se referment, puis poussa un grognement sourd. Seigneur, quel cauchemar ! Owen allait être difficile à tenir à distance avant qu'elle ne quitte la société, d'autant plus qu'ils allaient se trouver ensemble plus qu'elle ne l'aurait souhaité à cause du lancement de la nouvelle ligne de cosmétiques qui allait faire l'objet d'une pleine semaine de promotion fracassante et médiatisée à outrance. C'était elle qui était chargée de s'assurer que tout se passerait sans anicroche. Heureusement qu'elle avait une équipe de choc, et, surtout, Marla, une assistante géniale. Ce qui lui permettait de se concentrer sur l'extinction des incendies plutôt que de se ronger pour les détails. Par malheur, le plus gros incendie qu'elle aurait à éteindre se trouvait être Owen. Car, pour ne rien arranger, ils allaient tous résider à l'hôtel Willows pendant la semaine, et Owen lui avait réservé une suite jouxtant la sienne. Elle aurait parié volontiers une année de salaire que leurs portes seraient communicantes !

Il fallait faire quelque chose. De toute urgence. Mais quelque chose qui ferait comprendre une fois pour toutes à Owen qu'elle n'était pas disponible. Ni intéressée par ses offres de galipettes. Mais tout ça avec diplomatie pour éviter qu'il ne la licencie sous un prétexte fallacieux...

Une fois dans l'entrée, elle se dirigea vers la sortie après avoir adressé un signe de tête au veilleur de nuit. Dehors elle s'immobilisa un instant, le temps d'inspirer une bouffée revigorante de l'air frais de cette nuit de début d'automne. A New York, c'était sa saison préférée, car la ville lui semblait alors plus vivante que jamais. La touffeur et l'humidité de l'été enfin enfuies, scintillait au loin la promesse de vacances radieuses.

Elle héla un taxi. D'ici à peine dix minutes, elle allait pouvoir prendre une bonne douche, se glisser entre ses draps de coton égyptien et tout oublier d'Owen, des cosmétiques et de la campagne imminente... jusqu'à 5 h 30, où tout recommencerait.

Le chauffeur eut le bon goût de garder le silence et elle laissa aller sa tête contre le dossier avachi. Il y avait tant à faire avant la première qu'elle se sentait presque coupable d'abandonner son bureau pour aller se coucher.

Ridicule, d'accord, mais néanmoins vrai. Son travail était tout... non, ce n'était pas exact. Sa *carrière* était tout pour elle. Et rien, pas même la libido en folie d'Owen, ne viendrait se mettre en travers de sa route. Elle serait vice-présidente avant ses trente ans ou, du moins, elle serait morte en essayant. Mais cela signifiait repousser les avances de son patron jusqu'à la clôture de la campagne.

Comment s'y prendre ? La réponse la plus évidente, et qui ferait garder ses distances à son patron aux mains baladeuses, était de se trouver un petit ami qui l'accompagnerait au Willows la semaine prochaine. Même si Owen savait pertinemment qu'elle vivait seule, elle devait tenter de dénicher l'oiseau rare qui lui ferait un rempart...

Elle soupira alors que le taxi filait vers Chelsea. A l'angle de la Septième Avenue et de la 21e Ouest, elle remarqua l'affiche lumineuse prônant les mérites de la société Angel's Escort Service.

Une escorte. Voilà ce qu'il lui fallait pour calmer les ardeurs d'Owen ! Elle pourrait prétendre que c'était un ancien condisciple d'Harvard, quelqu'un avec qui elle avait eu une aventure à l'époque. Ce devrait être chose facile que d'embaucher un homme pour ce travail, un homme assez sophistiqué pour le rôle, assez beau pour avoir belle allure sur les photos qui ne manqueraient pas d'être prises pendant la semaine, et assez discret pour ne pas la dénoncer.

Glen. Son meilleur ami. Bien évidemment ! Seigneur, pourquoi n'y avait-elle pas songé plus tôt ? C'était tellement évident. La seule personne à avoir jamais entendu parler de Glen au bureau, c'était Marla, et Marla était la discrétion incarnée. Elle allait l'appeler dès le lendemain. Une semaine au Willows ? Il allait adorer cela.

Et Owen McCabe pourrait prendre ses avances et se les fourrer où bon lui semblerait.

— J'adorerais, mais je ne peux pas.

Jessica cilla, refusant de croire ce qu'elle entendait.

— Glen, non. S'il te plaît. Peut-être n'as-tu pas compris le sérieux de la situation. Il est infernal. Il me suit partout. J'ai besoin de toi.

— Je sais, Jess, mais je ne peux vraiment pas. Désolé.

— Mais pourquoi ?

— Eh bien, je serai en Californie quatre jours de cette semaine.

— Tu ne peux pas annuler ? Repousser ?

La voix de baryton résonna de nouveau dans le combiné, sur lequel elle avait refermé le poing.

— Non. Impossible.

— Flûte, flûte, et reflûte ! C'était pourtant la solution idéale.

— Eh bien, trouve quelqu'un d'autre. Je ne suis certainement pas le seul homme de tes relations.

— Non, mais tu es le seul que je connaisse assez pour le lui demander. Allez, Glen, tu serais parfait.

— Ah, tu sais dire de douces choses à mes oreilles.

— Et un de tes amis ? Tu as quantité d'amis. Des tonnes, même. Je paierai. Bien. Mais il me faudra quelqu'un de très discret. Si jamais on découvrait le pot aux roses…

— Je pense que je pourrais te trouver ton oiseau.

— Vraiment ?

Elle attrapa son Mont-Blanc, cadeau de fin d'études de sa tante Lydia de Belgique, et le fit tourner entre ses doigts.

— Oui. Mais il va falloir le convaincre.

— S'il te plaît. Je t'implore de t'en charger.

— Je vais faire de mon mieux.

Elle n'avait aucun mal à l'imaginer, assis dans sa galerie sous un collage de Jean-Michel Basquiat, vêtu d'un costume fabuleux mettant en valeur ses yeux bleu nuit et ses cheveux plus noirs que le jais.

— Merci.

— Juste une question en passant. Tu n'as jamais essayé de dire à ton patron que tu n'étais pas intéressée ?

Elle éclata de rire, ce qui ne lui était plus arrivé depuis un certain temps. Même si ce n'était pas un rire franc, mais plutôt un rire grinçant qui lui fit penser aux centaines de fois où elle avait dit sans détour à Owen qu'elle n'avait aucune intention de sauter sous la couette avec lui.

— Il n'entend que ce qu'il veut entendre. Et ne me dis pas de le poursuivre en justice ! J'y ai longuement réfléchi, mais c'est moi qui finirais par écoper à la fin.

— Je m'en doutais. Tu es très méthodique.

— Dans ta bouche, on dirait que c'est un défaut.

— Alors mettons que j'ai dit méthodique *et* paranoïde.

Elle sourit.

— Glen, quand tout sera terminé, je t'offrirai le repas le plus extravagant de tout Manhattan. Il te suffira de me dire quand et où.

— Marché conclu. Maintenant, laisse-moi voir ce que je peux faire.

— O.K.

Elle raccrocha et se laissa aller dans son fauteuil, histoire d'essayer de dénouer les tensions de son dos.

Glen allait lui trouver l'oiseau rare, elle devait y croire. L'enjeu était bien trop important. Si Glen faisait chou blanc, elle n'aurait qu'à embaucher quelqu'un dans une agence d'escorte. Elle savait que le système était au point, même si personne, dans son entourage, n'y avait jamais eu recours. Elle pria le ciel qu'elle n'ait pas à en arriver là !

Un coup contre sa porte la ramena à son travail.

— Entrez.

Marla Scott, son assistante, pénétra dans le bureau, les bras chargés de magazines. Elle les déposa précautionneusement sur le bureau. La pile était énorme, et ce n'était que le début de l'ouragan qui allait engloutir les radios, les journaux et les panneaux d'affichage de la ville. A la fin de la campagne, pas un homme, pas une femme, pas un enfant du pays ne pourrait ignorer la ligne de cosmétiques New Dawn.

— J'ai coché toutes les publicités. Regarde le *New Yorker*. Il y a toute une colonne délirante à propos de notre budget et de notre consommation ostentatoire. C'est génial, commenta Marla.

Elle s'assit sur la chaise face au bureau de Jessica.

— Alors, pas trop débordée ? demanda-t-elle.

— Si, mais raconte-moi ce que tu as à me dire.

— D'accord, répondit-elle en repoussant de sa joue une mèche de cheveux roux. Je suis sortie avec John hier soir. Tu te souviens ? Celui du Starbucks ? Qui avait pris le dernier scone ?

Pauvre Marla. Timide comme un papillon et si solitaire. Elle était la meilleure assistante qu'elle ait jamais eue, efficace et sensée, généreuse et drôle aussi, mais elle n'avait jamais aucune chance avec les hommes.

— Le grand type, c'est ça ? New York University ?

— C'est cela. Côté look, la merveille. Côté rencard, le désastre.

— Non ?

— Si. Il m'a emmenée voir une pièce. D'avant-garde à la puissance 10. Plutôt un numéro d'acteurs, en fait, deux femmes dont l'une se plaignait de ses règles pendant que l'autre faisait semblant de se masturber. Très délicat dans l'immonde.

— Ce n'était pas sa faute si c'était nul…

— Exact. Parfaitement exact.

— Mais ?

— Mais il se trouve que la deuxième actrice est en fait son ex-petite amie. Seulement, quand on est allés dans les coulisses voir les acteurs, il n'était plus question d'ex, si tu vois ce que je veux dire.

— Comment ça ?

— Ben la totale, quoi. D'accord, ils sont partis derrière l'affiche des *Monologues du Vagin,* mais je les voyais quand même se grimper dessus.

— Oh, Seigneur.

— Il n'a même pas payé le taxi pour rentrer.

— Le salaud.

— Exactement ce que je pense. Seulement…

Elle baissa les yeux et se perdit dans la contemplation de sa jupe préférée couleur vert sapin.

— … seulement il m'a fait rire quand on dînait. Et j'étais tellement… je ne sais pas.

— Oui, je comprends.

Marla lui sourit d'un air décidé.

— Bon, j'arrête de me plaindre. Après tout, il n'y a pas de quoi en faire un plat. Je vais juste… tu sais bien, continuer à tenter ma chance. Ne pas renoncer. C'est ma devise. Ne jamais renoncer tant qu'on n'est pas vieux, édenté et qu'on a assez de chats pour remplir un appartement.

— Je suis certaine que cela n'arrivera jamais.

— Probablement pas. Mais c'est une bonne chose que je ne sois pas allergique. Aux chats, je veux dire.

Et Jessica se prit à rêver d'avoir une vie sociale, où elle serait susceptible de connaître un homme pouvant convenir à Marla. Mais à partir du moment où l'intégralité de son entourage se résumait à Glen — qui était homosexuel —, sa mère — qui vivait à Cincinnati — et son propriétaire — qui passait son temps à se lamenter —, elle n'avait pas beaucoup d'espoir.

— Si je ne peux rien faire d'autre pour toi, lui dit Marla, je vais appeler l'agence Zéphyr, histoire de vérifier que les mannequins sont toujours disponibles.

— Je te remercie.

Marla se leva et se dirigea vers la porte. Mais avant de sortir, elle fit volte-face.

— Crois-tu qu'on ait une chance d'obtenir Shawn ?

Jessica releva la tête.

— Qui sait ? Nous le payons quand même assez cher.

— Tu imagines ? Shawn Foote dans la même pièce que moi ? Je tombe direct en pâmoison, c'est sûr.

— Il est peut-être bien foutu, mais c'est juste un homme.

— Juste un homme ? répéta Marla, tête penchée. Je ne pense pas, non. Il est… il est…

— Un super canon. Je sais.

— Je te tiens au courant, conclut Marla.

Jessica replongea alors le nez dans ses papiers, et oublia tout des mannequins masculins, des soirées fiasco et même de ses propres problèmes. Le monde entourant son bureau aurait bien pu s'écrouler sans même qu'elle le remarque.

Dan Crawford ne savait pas que faire. Et pourtant, il savait qu'il allait devoir prendre une décision, même si aucune des deux options qui se présentaient à lui ne le tentait vraiment.

Il pourrait accepter ce contrat pour le Botswana. Il aimait bien l'Afrique et n'y était pas retourné depuis presque quinze ans. Ce serait un défi, et la compagnie internationale qui lui proposait ce travail recherchait ses services de consultant depuis des années. Seulement, cela signifierait un engagement d'un an, ce qui lui paraissait… long.

D'un autre côté, il pouvait se lancer dans le partenariat avec Zeke pour la course Baja 1000, mais cela impliquerait de déménager à L.A. jusqu'à la course et, bien sûr, vivre avec Zeke, qui était un homme charmant quand il ne buvait pas trop. Or il buvait toujours trop quand il disputait une course.

Il tourna les yeux vers la cheminée, et plus précisément vers la vitrine jouxtant la cheminée renfermant ses souvenirs. Et la coupe gagnée à la course Baja trois ans auparavant lui fit de l'œil. Puis il les tourna vers la bibliothèque et la pile des documents et des journaux qu'il avait amassés, depuis la psychologie de la course jusqu'à la topographie de Baja. Fichtre, il avait consacré une somme de temps incroyable à gagner. Alors, pourquoi n'était-il pas plus intéressé que cela ? Zeke n'était pas si *invivable* que ça. Et s'il fournissait lui-même l'alcool, il pourrait peut-être le diluer suffisamment pour que Zeke ne soit pas trop imbibé.

Il abandonna son bureau et alla se planter devant la fenêtre. Du haut de son quinzième étage, il apercevait la librairie Villard au coin de la rue. Une grande librairie indépendante et aussi fantasque que ses propres goûts. Les employés avaient un faible pour lui et pour ses projets, les plus obscurs étant ceux qu'ils appréciaient le plus. En fait, entre la bibliothèque centrale de New York, la librairie Villard et Internet, il pouvait faire toutes les recherches qui lui passaient par la tête.

Peut-être devrait-il descendre y faire un tour, et y boire un café en flânant dans le rayon voyages. Peut-être trouverait-il un coin perdu à découvrir où, selon l'expression de sa mère, s'enfouir dans une nouvelle obsession.

Il allait se changer quand résonna la sonnette.

— Oui, Jimmy ? demanda-t-il dans l'Interphone au portier.

— Quelqu'un demande à vous voir, monsieur Crawford. M. Glen Viders.

— Faites-le monter, je vous prie.

Cela faisait environ un an qu'il connaissait Glen, qui lui faisait régulièrement mordre la poussière au squash. Il aimait bien son sens de l'humour et ses goûts artistiques. Mais même s'il avait acquis quelques œuvres dans sa galerie, il ne l'avait jamais vraiment fréquenté. Pour quelle raison était-il venu jusque chez lui ?

Il ouvrit la porte avant que Glen ne pose son doigt sur la sonnette.

— Salut ! Je ne te dérange pas, au moins ?

— Pas du tout. J'allais justement me préparer un café. Tu en veux un ?

— Volontiers.

Il le guida jusqu'à la cuisine, où il mit la machine à expresso en route.

— Alors, qu'est-ce qui t'amène dans le coin ?

— J'ai une proposition à te faire.

— Ah bon ? Quel genre ?

Glen s'adossa à la porte, croisa les bras et sourit.

— Voilà. J'ai une amie qui s'appelle Jessica Howell et elle a un problème.

Pendant qu'ils buvaient leur café, Glen lui fit un résumé de la situation. Le premier réflexe de Dan fut de refuser, mais lorsque Glen lui dressa un portrait détaillé de Jessica, l'intérêt de Dan s'éveilla.

— Elle est aussi brillante que ça, vraiment ?

— Arrivée major de sa promotion à Harvard. Elle a une tête magnifiquement faite, et vaut bien plus que ce boulot imbécile qui est le sien en ce moment.

— Une forcenée du travail ?

— Pire que ça. Je ne pense pas qu'elle soit sortie avec un homme depuis qu'elle a emménagé à New York, il y a six ans.

— Et je serais avec elle, dans la même chambre, pendant une semaine entière ?

— Oui. Enfin, attends. Dans la même chambre, je ne sais pas. Mais il faudrait que tu lui colles aux baskets.

— Hum.

— Qui sait ? Les choses pourraient en arriver là, si tu sais jouer correctement tes cartes.

— Et à quoi m'as-tu dit qu'elle ressemblait ?

— Je ne l'ai pas fait, répliqua Glen en souriant. Mais puisque tu le demandes, c'est une jolie fille. Une petite chose, mais une vraie centrale électrique, si tu vois ce que je veux dire. Cheveux auburn, yeux bleus. Vraiment frappante. Elle pourrait avoir tous les hommes qu'elle veut, mais…

Dan hocha la tête, ravi, mais pas plus inquiet que cela. L'aspect physique était anecdotique. C'était son cerveau qui l'intéressait. Elle était prête à payer une escorte. Il n'avait pas besoin d'argent, mais il avait un marché à lui proposer.

— Je vais te dire. Arrange-nous un rendez-vous. Quand ça l'arrange. Et on discutera.

— Elle va être vachement excitée.

— Peut-être. Peut-être pas.

2.

Glen le dévisagea un bon moment, manifestement perplexe.

— Donne-moi son numéro, je l'appellerai ce soir, finit par ajouter Dan.

— Super.

— Si tu me permets une question, comment se fait-il que tu n'aies pas toi-même sauté sur l'occasion ?

— Eh, je l'aurais fait dans la seconde, mais il faut que je sois à Los Angeles cette semaine. De plus, je pense que cela marchera bien mieux si c'est toi qui t'y colles.

— Ah oui ? Et pourquoi, s'il te plaît ?

— Jessica et moi, expliqua Glen, on s'est rencontrés au lycée, et je crois pouvoir dire que je la connais bien. Sous l'ambition qu'elle affiche se dissimule une chouette fille. Il faudrait juste qu'elle enlève ses œillères. Qu'elle arrive à voir un peu du monde qui l'entoure. D'après ce qu'on m'a dit, c'est un peu ta spécialité.

— C'est pas faux, en effet. Je me demande pourquoi elle n'a pas mis le holà très vite avec son patron. Il ne sait pas qu'il existe des lois ?

— D'après ce qu'elle m'a dit, elle ne veut pas faire de vagues. Et elle prévoit de partir après le succès de sa campagne publicitaire.

— Toujours un œil sur l'étape suivante, hein ?

— A de nouvelles aventures, dit Glen en levant sa tasse de café.

— Pourquoi tu ne l'appellerais pas tout de suite ? Histoire de savoir si elle voudrait qu'on boive un verre ce soir ?

Glen sortit aussitôt son portable. Quand il raccrocha, rendez-vous avait été pris, et Dan disposait de deux heures pour élaborer sa contre-proposition.

Si cela marchait, ça allait être bien plus excitant qu'une course de voitures !

Jessica vérifia son allure dans la vitrine du bistro. Le temps avait été clément pour ses cheveux, elle s'était remis du rouge à lèvres dans le taxi, et elle donnait l'impression qu'elle avait enfilé son tailleur Donna Karan à peine une demi-heure plus tôt. Non que cela eût une quelconque importance. C'était elle qui embauchait, après tout ! Mais la situation était déjà assez bizarre pour qu'elle se sente légèrement énervée.

Elle avait procédé à quelques recherches sur Internet, et ce qu'elle avait trouvé sur Dan Crawford n'avait pas laissé de la surprendre. Il était consultant informatique, fortement rémunéré, et il travaillait pour les plus grosses institutions financières internationales. Ses prix devaient être astronomiques… Du coup, elle avait rappelé Glen pour savoir s'il ne lui avait pas promis une rétribution équivalente à une année de salaire. Mais son ami lui avait assuré que si ce Dan Crawford se proposait, ce n'était pas pour l'argent.

Ce qui avait, bien entendu, fait naître une autre question… Pourquoi ? Pourquoi accorderait-il un seul instant d'attention à sa petite proposition ? Que pourrait-il bien en tirer, si ce n'était de l'argent ?

Elle n'allait pas tarder à le savoir. Elle effectua une profonde inspiration, une deuxième, puis elle tira sur la veste de son tailleur et entra d'un air décidé dans le bistro.

Chez Dorian était un bar sélect de Wall Street. S'y croisaient des yuppies en Prada ou en Armani. Peu de rires, mais une atmosphère feutrée de bavardages qui bruissaient entre les murs couverts d'œuvres d'art métalliques, principalement du chrome ou du cuivre terni. Le décor convenait parfaitement aux boiseries de chêne.

Elle fit quelques pas à l'intérieur et inspecta rapidement la pièce. Un jeune homme sur sa droite ressemblait de manière frappante à Colin Firth. Trop jeune pour être Dan Crawford, jugea-t-elle. Elle reprit son inspection. Et en fut bientôt récompensée, puisque au bout du bar, un homme seul veillait sur un tabouret vide. Il leva les yeux vers elle. Il correspondait à la description que lui avait faite Glen. Dans les trente-cinq ans. Elle n'aurait su dire s'il était grand ou pas, mais il en avait la stature. Cheveux sombres, soyeux, épais et brillants séparés par une raie sur la droite. Grands yeux, bouche généreuse, et un nez un peu trop grand pour son visage, ce qui donnait du caractère à sa beauté.

Glen ne lui avait pas dit qu'il était superbe. Le mot n'avait jamais été prononcé. Et pourtant c'était un adjectif que Glen employait volontiers. Il ne s'agissait peut-être pas de Dan Crawford…

Mais l'homme en question lui fit un signe de la main, mettant fin à ses doutes. Il se leva. Un mètre quatre-vingt-dix au minimum. Souriant. Un sourire qui multipliait le facteur superbe par 6.

Elle sourit en retour et entreprit de traverser la foule des clients. Il chassa vivement une blonde aux seins comme des obus qui voulait s'emparer du tabouret vide.

— J'espère vraiment que vous êtes Jessica Howell, dit-il aussitôt qu'elle fut à portée d'oreille.

— C'est bien moi.

— Parfait. Parce que ce siège est le dernier disponible. J'aurais dû suggérer un endroit plus calme.

— Il n'y a aucun endroit plus calme. Du moins pas dans les parages.

Il lui tendit la main. Une main chaude, forte et souple. Chaude, mais sèche. Elle sentit ses joues s'enflammer à son simple contact, ce qui ne lui ressemblait pas. Mais alors, pas du tout.

— Asseyez-vous et laissez-moi vous offrir quelque chose à boire.

— Ce devrait être à moi de le faire.

— La prochaine fois, si vous voulez. Qu'est-ce qui vous ferait plaisir ?

— Un verre de merlot, je vous prie.

Il se tourna vers le bar et passa la commande alors qu'elle grimpait littéralement sur le tabouret. Etre petite avait des avantages, mais aussi des inconvénients, et se jucher sur un tabouret sans avoir l'air ridicule relevait chaque fois de l'exploit ! Une fois installée, elle posa son sac sur ses genoux et leva les yeux vers Dan. Il était encore mieux vu de près, surtout ses lèvres. Pleines et, en même temps, incroyablement masculines. Encadrées des fines rides du sourire. Si Marla était là, elle se serait déjà répandue en éloges dithyrambiques sur l'envie qu'elles donnaient de les embrasser. Sur leur douceur. Sacrée Marla ! Elle avait vraiment le chic pour trouver les mots justes.

Dan posa sa carte de crédit sur le bar quand leurs consommations furent servies. Il avait choisi une bière allemande, qu'il ne prit pas la peine de verser dans la chope. Il en but directement une grande goulée à la bouteille, ce qui donna à Jessica un aperçu saisissant de la pomme d'Adam si masculine en mouvement.

Elle laissa alors son regard descendre sur la chemise de Dan. En soie, d'un blanc pur, faite sur mesure à première vue. Il en avait remonté les manches de deux ou trois tours. Si son jean usé la surprit, elle se remémora qu'il n'était pas salarié et qu'il pouvait bien porter ce que bon lui semblait. Et le bon vieux Levi's moulait à ravir son grand corps.

Elle faillit éclabousser son tailleur avec son verre de vin quand il toussa, tant fut grande sa hâte à relever les yeux de là où ils étaient collés. En rougissant encore. Doux Seigneur, que lui arrivait-il ? Ses hormones lui jouaient-elles un tour ? Jamais elle ne… réagissait ainsi.

— Glen m'a parlé de votre problème.

— C'est ce qu'il m'a dit, mais je préférerais vérifier que vous l'avez parfaitement compris avant d'aller plus loin.

— Allons-y.

— Il s'agit vraiment de jouer un rôle. Je suis sûre que Glen a plein d'amis qui seraient intéressés par cet argent. En revanche, j'ai du mal à comprendre ce qui vous pousserait, vous, à accepter ma proposition sans contrepartie financière.

— Je vais vous le dire. Mais d'abord, j'aimerais bien entendre ce que vous attendez vraiment de moi.

Elle but une gorgée de vin, la laissa descendre et sentit sa nervosité céder un peu le pas.

— J'ai un patron très collant, et j'ai besoin de quelqu'un pour jouer le rôle de mon amoureux pendant toute la semaine à venir. Nous allons lancer une ligne de cosmétiques à grands renforts de réceptions et de conférences de presse ininterrompues. L'homme que j'embaucherai devra être disponible pour chacun de ces événements. Mais aussi pour les repas. Pour tout, en fait, et il devra jouer bien entendu son personnage comme si nous étions le couple du siècle.

— C'est à peu près ce que m'avait dit Glen.

— Bien, alors pourquoi seriez-vous intéressé ? Il faut que je vous avoue que j'ai failli ne pas venir. Il m'a fait promettre de respecter notre rendez-vous. Mais je ne comprends toujours pas.

— Eh bien, Jessica, je pense que nous pourrions faire quelque chose l'un pour l'autre. Je saisis très bien votre problème, et même si je ne suis pas comédien, je crois que je saurais tenir ce rôle. J'apprends vite et je n'ai aucun engagement social qui pourrait m'en empêcher.

— Mais ?

Il sourit et ses lèvres gourmandes firent saliver Jessica. Elle dut se retenir pour ne pas glousser comme une gamine prépubère.

— Voilà ce que je veux, dit-il en étudiant son regard. Je veux un accès.

— Un accès ?

— A vous.

— Je vous demande pardon ?

— A vos pensées.

Elle ouvrit grand la bouche, mais la seule chose qui en sortit fut une sorte de hoquet.

— Toutes vos pensées.

— Mais de quoi diable parlez-vous donc ?

Il rit. Et ce son, profond et mélodieux, empêcha Jessica de continuer à s'interroger sur la santé mentale de l'homme qui lui faisait face.

— Bon, laissez-moi m'expliquer.

— Faites, je vous en prie.

— Je suis accro à la curiosité. Je n'y peux rien. C'est une longue, très longue histoire, pleine d'indications sur mon éducation excentrique et la philosophie radicale de mes parents, et je suis certain que nous en discuterons en détail la semaine prochaine, mais pour l'instant, et pour résumer, je consacre ma vie à trouver des réponses aux grandes questions. J'ai étudié la philosophie avec certains des plus grands esprits de la planète, la théologie à Rome et en Israël. J'ai posé de perpétuels défis à ma compréhension, à mes capacités, et j'ai toujours attaqué de front les problèmes essentiels de ma vie. Ce qui ne veut pas dire que je réussis toujours. Mais je ne me demande jamais ce qui se serait passé si je n'avais pas osé.

— Et... quel rapport avec le fait de faire semblant d'être mon petit ami ?

Il se remit à rire.

— Tout. Parce que ce que je veux de vous, ce sont des réponses.

— A quelles questions ?

— Toutes.

— Excusez-moi ?

— Toutes les questions concernant les femmes.

— Je ne connais pas toutes les réponses concernant les femmes.

— Mais vous connaissez les réponses en ce qui vous concerne.

Elle lui lança un long regard. Il lui sourit.

— Non, je ne suis pas bon à enfermer. Zinzin, oui. Original, certainement. Mais pas au point de finir en cellule capitonnée.

— Vous voulez des réponses sur les femmes ?

Dan hocha la tête.

— Qu'est-ce que ça veut dire ?

— Cela veut dire que je veux pouvoir vous demander n'importe quoi. Pas de faux-fuyants. Pas d'atermoiements, de repli derrière une quelconque vie privée. Je vous pose des questions, je veux des réponses honnêtes, au mieux de vos capacités. Toutes les questions que j'ai toujours voulu poser mais que je n'ai jamais osé poser.

— Ne me dites pas que vous n'êtes jamais sorti avec une femme ?

— Bien sûr que non. Je suis sorti avec de nombreuses femmes. J'ai eu des relations avec elles, qui ont toutes échoué. Principalement, je pense, à cause de mes cafouillages. De mon manque de compréhension. Sérieusement, je ne vous comprends pas. Si on laisse tomber la physique et la théorie du big-bang, le grand impondérable n'est pas Dieu mais les femmes. Qui êtes-vous donc ? Les livres ne servent à rien. Croyez-moi, je les ai tous lus. Depuis *Les hommes sont des Martiens* jusqu'aux traités des sexologues. Et je ne vous comprends toujours pas !

Jessica ne put s'empêcher cette fois-ci de glousser devant l'air comique qu'avait pris Dan. Celui-ci la regarda sérieusement et haussa les épaules.

— Chaque fois que je pense vous avoir comprises, je me retrouve sur le derrière. Prenez Tamara, par exemple. Super fille, fabuleuse danseuse. J'étais dingue d'elle, elle jurait qu'elle m'aimait. On a passé deux années de bonheur ensemble. Et que s'est-il passé ? Juste après lui avoir demandé sa main, à quelques jours du mariage, elle a préféré emménager avec un camé qui passe son temps à lui taper dessus ! Et ce n'est pas tout. Chaque fois que je pose la question à d'autres hommes, soit ils lèvent les bras au ciel soit ils me donnent des conseils qui ne mènent à rien. C'est dingue, c'est ridicule, et flûte, ce que je veux c'est finir une fois pour toutes par vous comprendre.

Jessica était un peu estomaquée par sa franchise et son enthousiasme, et certaine, à cent pour cent, que cela ne marcherait pas entre eux.

— Oh, non, ajouta-t-il en surprenant son regard sceptique. Ne prenez pas une décision maintenant. Je vous en prie.

— Je ne pense pas que…

— Ecoutez, prenez ça comme un sujet de recherches. Considérez-moi comme un entomologiste. Je jure que je n'utiliserai jamais ces informations pour vous nuire. Mais c'est une occasion qui ne se présentera pas deux fois dans mon existence. Et si je paye quelqu'un, je n'aurai jamais la certitude d'obtenir les bonnes réponses. Dites oui car, sans jouer les immodestes, je pense que je peux convaincre votre boss ou n'importe qui que je suis votre petit ami. Je ne ferai rien qui puisse vous gêner. Je sais comment agir face aux journalistes, et je ne vous coûterai pas un sou. Tout ce que vous aurez à faire, ce sera de répondre le plus honnêtement possible à mes questions. Et si vous ne connaissez pas la réponse, pas de quoi en faire un plat. Mais si vous la connaissez, je veux l'entendre. Pas de politiquement correct ; pas d'esquive ; pas de périphrase. La vérité telle qu'elle vous vient.

— La vérité telle qu'elle me vient, hein ? Eh bien, commençons tout de suite.

— Allez-y.

— J'ai besoin d'une boisson forte.

Il conserva un sourire égal, et fit en sorte de ne pas avoir l'air satisfait. Une seconde plus tôt il avait pensé que tout était perdu, mais elle était intriguée. Et d'après ce que lui avait dit Glen, il avait bien espéré éveiller sa curiosité.

— Quelle sorte ?

— Un whisky. Sec. Sans glace. Et pas un baby, s'il vous plaît.

— Excellent choix.

Il fit signe au barman et, tandis qu'il attendait son arrivée, il prit le temps d'étudier la jeune femme perchée sur le tabouret en face de lui.

Elle était petite, soit, mais s'il avait dû la décrire, il aurait employé le mot de *vamp*. Une sorte de réminiscence d'un autre âge, disons Rita Hayworth ou Veronica Lake. Peut-être que cela tenait à ses cheveux roux, ou alors peut-être à la façon dont ils s'incurvaient sur son cou. Elle avait également des lèvres naturellement pleines, exemptes de tout collagène comme la plupart des femmes qu'il rencontrait. Elle était superbe, sa peau faisait penser à de la soie, et l'intelligence discernable dans ses yeux bleus lui donnait envie de commencer sa semaine tout de suite.

— Qu'est-ce que ça sera ?

La voix du barman le fit sursauter. Il commanda deux whisky single malt tout en la regardant repousser ses cheveux derrière son oreille gauche. Sa main, soignée, petite et féminine attira aussitôt son attention et la retint. Il la regarda refermer les doigts autour de son verre. En effleurer le bord.

Bon, d'accord, peut-être allait-il poursuivre autre chose aussi. Glen ne lui avait-il pas dit qu'elle était célibataire depuis un bon bout de temps ? Lui-même n'était-il pas célibataire depuis plus longtemps qu'il n'était normal ?

— Dan ?

— Oui ?

— Qu'allez-vous faire de ces informations, à supposer que vous les obteniez ?

— M'en servir.

— Pour un livre ? Un diplôme ?

— Non. En fait, je fais ceci pour mon édification personnelle.

— Autrement dit, vous cherchez une femme ?

— Une femme, une amante, une partenaire. Oui.

— J'aurais cru que les femmes s'empilaient sur votre paillasson.

— Le problème n'est pas là. C'est la qualité qui compte. Je cherche ce que vivaient mes parents. Ce que, dans ma naïveté de jeune homme, je pensais que tout le monde possédait.

— Une belle relation ?

— Bien plus que ça. Mes parents étaient, vous me pardonnerez le cliché, les deux moitiés d'un tout. Ils ont été mariés trente-neuf ans, et étaient encore plus dingues l'un de l'autre à la mort de mon père que lorsqu'ils s'étaient rencontrés. C'est cela que je veux. Une partenaire. Une meilleure amie. Tout cela.

— Vous n'êtes pas près du but, dites-moi !

— Comme si je ne le savais pas. D'où ma demande.

— Je n'ai encore jamais été un objet de recherches, lui dit-elle avec un demi-sourire.

Les boissons arrivèrent à cet instant, et il lui tendit son verre.

— Alors, vous allez accepter ?

Elle prit son verre, en but une gorgée, ferma les yeux. Et les rouvrit.

— Je vais accepter.

— Fantastique, répondit-il en entrechoquant son verre au sien, avant d'hésiter. Quand commençons-nous ?

— Lundi. Au Willows.

— Super. Donnez-moi le numéro de la chambre qui vous a été réservée pour que je puisse m'y installer dès lundi après-midi.

— Ouh, là ! Vous allez un peu vite en besogne, s'exclama-t-elle en ouvrant grand les yeux. Votre présence ne sera pas nécessaire dans ma chambre.

Il vida son verre d'un trait, prêt à la bataille.

— Eh bien, si.

— Non, non, non. Vous n'habiterez pas là-bas. Vous apparaîtrez juste quand ce sera nécessaire.

Il lui décocha un sourire totalement innocent.

— Ce serait horriblement peu pratique pour tous les deux. Ce sera bien plus simple que j'y réside. Mais ne vous en faites pas, et ne craignez rien. Je dormirai sur le canapé.

Elle lui jeta un regard incertain et Dan sourit franchement.

— Demandez à Glen. Il vous dira combien je suis inoffensif. De plus, je ne veux pas d'interférences dans mes recherches. Coucher ensemble bousillerait tout.

Le regard de Jessica s'adoucit. Son débat interne parut durer quelques secondes encore, puis elle poussa un soupir.

— C'est sûr que cela empêcherait définitivement Owen de me coller aux basques !

— Vous verrez, ça va être génial.

— Je ne pense pas, non. Je serai simplement contente si je survis à cette semaine.

— Allons. Tout ira pour le mieux, j'en suis certain.

Elle secoua la tête, ce qui fit scintiller ses cheveux.

Dan songea qu'il ne lui avait pas menti en disant que coucher ensemble gâcherait tout.

Néanmoins, peut-être pourrait-il poser toutes ses questions d'un coup et passer à autre chose...

3.

— Dan, mon chéri, je t'adore, mais est-ce que ceci n'est pas un peu *too much*, même pour toi ?

Dan sourit à sa mère.

— Probablement. Mais aussi, c'est ta faute.

Colleen Crawford posa sa tasse et lui lança un regard mi-amusé mi-interrogatif.

— Et comment en es-tu arrivé à cette conclusion ?

— Si tu m'avais parlé, je n'aurais pas à me « louer » à une inconnue.

— Nous parlons en ce moment même.

— Mais pas au sujet de ce que je veux savoir.

Elle but une autre gorgée de café et se laissa aller dans son fauteuil. Ils étaient sur la terrasse donnant sur le jardin qui faisait la joie et la fierté de sa mère. Enfin, à part lui, son fils. Elle avait vraiment la main verte, et les fleurs et les légumes poussaient sans rechigner !

— Nous avons déjà discuté de ceci, reprit-elle. Certaines choses doivent être découvertes. Pas enseignées.

— Même si j'ai en face de moi l'une des plus grandes expertes mondiales ?

— Il n'existe pas d'experts en relations humaines, mon chéri. Seulement des déductions hasardeuses.

— C'est ce que tu enseignes à l'université ?

— Précisément.
— Mais s'il n'y a pas de réponses, pourquoi chercher ?
— Parce que la seule réponse *est* la recherche.
— Exact.
— Tu verras. Un jour tu finiras par rencontrer quelqu'un qui mettra ton monde sens dessus dessous, et alors tu comprendras.
— Je comprendrai quoi ? demanda-t-il, frustré.
— Que tu n'as pas besoin de comprendre.
— Tu es la femme la plus obstinée que je connaisse.
— Je suis un délice et tu le sais.
— C'est ça. Tu es un délice. J'espère seulement que tu sais que si je finis vieux et seul, octogénaire sénile et aigri, tu en seras seule responsable.
— Oui, mon grand. Maintenant, parle-moi d'elle.
Il sourit au souvenir de sa rencontre avec Jessica.
— C'est une belle femme. Un peu comme une toile Renaissance.
— Un Rubens ?
— Non. Plutôt un Botticelli. Un vrai, avec les cheveux roux et la peau pâle.
— Bon. Maintenant, qu'en est-il de son cerveau ?
Il tendit la main vers le compotier posé sur la table basse et y prit un muffin au citron. Fait maison, bien sûr. Il en mordit une bouchée et but un peu de café.
— Elle est brillante. Elle monte actuellement une campagne média pour une importante firme cosmétique. Elle n'a que sa carrière en tête et vise un poste de vice-présidente.
— Bien. Je présume déjà qu'elle n'a aucune vie sociale. Si elle en avait une, elle n'aurait pas eu besoin d'un homme comme toi.
— Oui. Elle est fichtrement déterminée. Mais ce point joue plutôt en ma faveur. Je pense qu'elle ne sera pas

évasive avec moi ni n'aura de but caché. Je demanderai, elle répondra.

— Et si elle n'a pas les réponses ?

— Je continuerai à chercher. Mais j'aurai essayé.

Colleen poussa un soupir et se passa la main dans les cheveux.

— Nous t'avons toujours encouragé à aller sur le terrain, à apprendre par l'expérience. Mais ne laisse pas tes espoirs monter trop haut, d'accord ?

— Ecoute, même moi je sais qu'il n'y aura pas de réponses toutes prêtes. Mais je vais obtenir des indices. Des directions. Des aperçus. Je crois que si je peux en parler sans ambages, je pourrai peut-être accéder au niveau supérieur.

— As-tu besoin de quelqu'un à ce niveau pour passer au suivant ?

— J'espère que ça m'aidera à trouver la femme avec qui je pourrai avancer. Même toi, tu dois admettre que j'ai été un gros nul dans mes précédentes sélections.

— Oh, chéri, gros nul est trop gentil. Mais c'est surtout dû au fait que tu laisses ta petite tête du bas penser pour toi.

— Maman, franchement ! Heureusement que j'ai cessé d'avoir honte de toi, il y a des années.

— Je sais. Et j'apprécie ton indulgence.

— Alors, tu pourras prendre soin de Miséricorde pendant mon absence ?

— Ce chat me déteste mais, oui, j'en prendrai soin.

Il se pencha, lui posa un baiser sur la joue et reprit son muffin.

— Super.

— Et tu me diras ce que tu auras appris ?

— Bien sûr. Bon, il faut que je file, dit-il en se levant. Au besoin, appelle-moi sur le portable.

— D'accord mon chéri. Emporte quelques muffins.

— C'était bien mon intention.
— Et des légumes aussi.
— Là, je passe mon tour.

Il lui pressa la main et s'en fut dans la cuisine, où une photo de ses parents prise des années auparavant trônait au-dessus de l'évier. Ils avaient l'air si fichtrement heureux.

La suite semblait tout droit sortie d'un vieux film de Fred Astaire et Ginger Rogers. Le décor était un camaïeu de blanc et d'argent richement décoré. La superficie des lieux était gigantesque et Jessica songea que le prix de la nuit devait coûter une fortune. Si elle avait fait elle-même la réservation, elle se trouverait à l'heure actuelle plusieurs étages plus bas dans une chambre plus ordinaire... mais en réservant une telle splendeur, elle ne devait pas oublier qu'Owen avait dans la tête une opération de séduction à son encontre !

Son boss avait vraiment une case en moins, et pour la première fois depuis qu'elle avait rencontré Dan, elle se sentit en paix avec le marché qu'elle avait conclu avec lui pour maintenir Owen à distance. Néanmoins, elle restait un peu perplexe face à la « quête » de Dan. Sans compter l'attirance qu'elle ne pouvait s'empêcher d'éprouver pour lui.

Elle attendit que le chasseur pose son énorme valise sur le pore-bagages en métal chromé et le rétribua grassement, persuadée qu'elle aurait à faire appel au personnel plus d'une fois durant son séjour.

Une fois seule, elle lutta contre la tentation de s'allonger sur le canapé rembourré, d'enfouir sa tête dans les coussins et de s'endormir pour trois jours. Poussant un soupir, elle ouvrit sa valise et en vida méticuleusement le contenu, rangeant chaque vêtement à la place qui devait être la sienne.

Elle en était à la moitié de sa tâche quand elle se souvint qu'elle allait devoir partager la commode et la penderie... Du coup, elle s'arrêta net dans ses rangements et ouvrit la porte du minibar pour en sortir une petite bouteille de chardonnay.

Partager une chambre avec un parfait inconnu, voilà qui demandait un peu d'aide pour se donner du courage. Bon, d'accord, Glen se portait garant de Dan, mais pourquoi avait-elle accepté qu'il partage sa chambre ? Cette semaine était la plus importante de son existence, et elle ne pouvait se permettre un écart de conduite. C'était pour cela qu'elle avait loué les services de Dan pour jouer le rôle de son amoureux. Mais pourquoi avait-il une telle prestance ? Si elle était honnête avec elle-même, elle devait reconnaître que c'était le plus bel homme qu'elle ait vu depuis des années.

Voilà où était le problème. Il remplissait tous les critères qu'elle recherchait dans l'espèce masculine, ce qui était une grande première. Elle n'avait encore jamais connu un homme qui possédait tout : l'allure, le cerveau, le talent, les mains fortes, un goût sûr en matière vestimentaire. Bon, elle devait se calmer. Il était impossible qu'il ait toutes les qualités qu'il déployait en public. En vivant au quotidien avec lui, elle finirait bien par découvrir ce qui clochait chez lui.

Il était sans aucun doute narcissique. Et, vu sa quête pour mieux comprendre les femmes, probablement phallocrate aussi. Elle n'aurait qu'à la jouer cool jusqu'à ce qu'il laisse entrevoir ses vraies couleurs et voilà, le problème serait réglé.

Et il ferait mieux d'être réglé, sinon elle allait au-devant de grands ennuis !

Elle se versa un verre de vin et alla s'installer sur un des fauteuils recouverts de satin blanc près de la fenêtre qui donnait sur Central Park. Mais elle posa un regard vide sur la verdure, l'esprit occupé par la montagne de tâches qui l'attendait.

Les festivités commençaient le lendemain par une démonstration de maquillage, avec les produits New Dawn évidemment, chez Bloomingdale's sur dix auditeurs chanceux de radio. Demain soir aurait lieu la grande inauguration au Panorama, le plus couru des night-clubs, qui venait d'ouvrir.

Puis il y aurait la fête du dessert et du jazz au Rainbow Room, une croisière vespérale sur l'Hudson, un jeu de piste dans Central Park, et enfin le banquet, ici même, à l'hôtel. Au terme de cette semaine, elle serait bonne pour la maison de fous, mais entre-temps elle devrait veiller à ce que les médias soient contents, les mannequins impeccables et ponctuels, les célébrités bichonnées ; et chaque détail de chaque événement devait se dérouler sans anicroche.

Dieu merci, elle avait Marla ! Et les troupes de Marla. Elle avait vraiment de la chance de travailler avec une telle équipe, et ce qui était rassurant, c'est que chaque événement était sous la responsabilité d'un professionnel. Réconfortant, certes, mais cela n'apaisait pas son anxiété de savoir que la responsabilité de l'ensemble reposait directement sur ses épaules. Oh, bien sûr, c'était Owen qui signait les chèques, mais tout le monde savait qui était vraiment en charge de cet événement.

Là était son ticket. La possibilité de grimper en haut de l'échelle. Si elle gâchait ses chances, elle doutait que sa carrière s'en remette un jour. Mais si elle réussissait, le chemin de ses rêves était tout tracé.

Ce qui signifiait qu'elle n'avait pas besoin de Dan pour lui servir de distraction. Peut-être n'était-il pas trop tard pour lui dire qu'elle avait changé d'avis. Elle pourrait très bien appeler une société d'escortes et louer les services d'un beau mâle, de préférence homosexuel, qui garderait le silence contre un chèque.

Elle sortit le numéro de Dan de son sac et alors qu'elle s'apprêtait à le composer, on frappa à la porte.

Elle regarda par le judas. Nom d'une pipe ! C'était Owen. Elle prit une profonde inspiration et entrouvrit la porte.

— Owen, bonjour. Que se passe-t-il ?

Il lui sourit. De ce sourire niais et amoureux qui donnait systématiquement envie à Jessica de lui retourner un soufflet.

— Est-ce que ça vous plaît ?

— La suite est fabuleuse, mais trop extravagante. Elle doit coûter une fortune.

— *Deux* fortunes, dit-il en faisant un pas en avant, fermement décidé à entrer. Mais vous les valez bien.

— Merci.

Cette technique lui avait toujours rapporté des bons points. Une réponse simple. Sans fioritures. C'étaient les meilleures.

— Il faut qu'on parle de demain.

— Vraiment ?

Il hocha la tête. Elle nota quelques gouttes de transpiration sur son front légèrement dégarni. Au moins avait-il le bon goût de ne pas succomber à l'attrait des implants. D'ailleurs, il n'était pas vilain. Pas très grand, un peu grassouillet. Elle l'avait au départ trouvé relativement beau, jusqu'à ce qu'il se mette à la harceler.

— Oui, vous savez bien. Les détails.

Elle lui lança son sourire le plus réconfortant.

— C'est pour cela que vous m'avez embauchée, Owen. Pour veiller aux détails. Alors, vous n'avez pas à vous en faire le moins du monde. Tout va se passer comme sur des roulettes. Tout ce que vous aurez à faire, c'est vous montrer au Panorama demain à 20 heures. Ce qui me fait penser que j'ai un ou deux coups de fil à pa…

— Jess, l'interrompit-il en plantant son pied dans la porte. J'ai quelques inquiétudes à propos de la fête.

Elle eut aussitôt envie de le flanquer dehors *manu militari* mais se retint. Tout cela aurait une fin bientôt. Entre-temps, elle allait devoir se contenir, aussi ferma-t-elle la porte derrière lui et se dirigea-t-elle vers le bar.

— Soda ?

— Non merci.

La joie d'Owen d'avoir réussi à entrer était bien trop visible.

— Quelles inquiétudes ?

Il adopta aussitôt une mine pensive alors que son regard fuyait déjà vers la chambre à coucher.

— Quelle couverture télé avons-nous ?

Elle le lui avait déjà dit. Elle lui avait envoyé des mémos. Mais elle s'abstint de tout commentaire et répondit docilement :

— *Entertainment Tonight ; E ! ; Access Hollywood ; MTV ; VHI ;* et trois chaînes du câble.

— Bien, bien. Et qu'en est-il des célébrités ? Elles ont toutes confirmé ?

— Nous envoyons douze limousines, mais la plupart viennent par leurs propres moyens.

— Qui, précisément ?

Elle ravala un soupir.

— Julia Roberts, Keanu Reeves, Reese Whiterspoon, Sarah Michelle Gellar, Freddie Prinze Jr, Nicole Kidman et plein d'autres. Dois-je demander à Marla de vous monter la liste ?

— Non, répondit-il trop vite. C'est parfait. Juste parfait.

— Mais ça ne sera plus « parfait » si je ne peux pas passer plusieurs coups de téléphone, alors...

Elle se dirigea vers la porte. Owen ne bougea pas.

— Je suis sûr qu'ils peuvent attendre quelques minutes.

— Non, Owen, ils ne peuvent pas.

L'expression d'Owen changea une fois de plus. Cette fois-ci, elle eut droit à la tête de chiot énamouré.

— Jess, ne voyez-vous pas quelle belle équipe nous formons ? N'est-ce pas flagrant ?

— Si, absolument. La semaine à venir va le prouver. Nous allons faire de New Dawn une marque connue de tout le pays.

Il avança vers elle, bras tendus comme s'il voulait l'agripper, ce qui était tout bonnement hors de question. Seulement, il lui bloquait toute fuite, à part enjamber le fauteuil.

— Ce n'est pas le partenariat dont je veux parler.

— Il n'y en a pas d'autre, Owen.

— Mais cela se pourrait. Se devrait même.

— Vous avez déjà une partenaire.

Il secoua la tête en faisant les derniers pas, la bloquant. Puis il effleura son bras de la main et osa l'y poser.

— Ce n'est pas exact. Sincèrement. Je vous l'ai déjà dit. Ellen est une excellente mère, mais...

— *J'ai* un partenaire, Owen.

Il se figea. Cilla. Mais laissa sa main là où elle était.

— Quoi ?

— Un partenaire. Un homme. J'ai un homme dans ma vie.

D'abord, il parut blessé, puis confus, et ensuite il douta.

— De quoi parlez-vous ? Vous ne sortez avec personne.

— Je ne parle jamais de mes relations.

— Vous passez votre vie au bureau.

— Non, c'est faux. J'ai une vie *privée*. Mais j'ai quelqu'un, et c'est sérieux.

Le doute d'Owen se mua en incrédulité.

— Qui ça ?

— Vous ne le connaissez pas.

— Son nom ?

— Quelle importance ? Mais il s'appelle Dan.

— Dan comment ?

La contrariété sembla laisser le pas à la fureur.

— Crawford.

— Jamais entendu parler.

— Je n'en doute pas.

— Où l'avez-vous connu ?

— A la fac. Il y a des années.

— Et il vient juste de refaire surface ?

— Exact. Et la vieille flamme est repartie de plus belle.

Il finit par enlever la main de son bras.

— Où vit-il ?

Elle recula et empoigna la poignée de porte.

— Je ne vois pas en quoi ça vous regarde.

— Ça me regarde.

— Pourquoi ?

Agité, il fit le tour de la pièce des yeux, comme pour chercher un début de réponse.

— Je me fais du souci pour vous. Je ne veux pas que vous vous engagiez avec un homme qui n'est pas pour vous.

— Pas de souci. C'est un homme très bien, et je l'aime.

— C'est fichtrement soudain.

— En fait, non.

— Marla le connaît ?

— Non.

— Pourquoi ? s'enquit-il, lèvres serrées.

Seigneur, elle avait envie de l'étrangler !

— Parce que ça ne regarde personne. Je fais en sorte que ma vie privée demeure très privée.

— Ça m'en a tout l'air, en effet, commenta-t-il d'un air dubitatif.

— Owen, je dois passer ces coups de fil.

— Hon, hon. Dan Crawford, c'est ça ? Qu'est-ce qu'il fait ? Il est dans le marketing ?

— Non, il ne l'est pas, dit-elle en ouvrant la porte. S'il vous plaît, j'ai du travail.

Il fit un geste en direction de la sortie, mais avant de passer le seuil il se retourna avec une détermination quasi intimidante.

— Allez, Jess. N'oubliez pas à qui vous parlez. Je connais votre emploi du temps. Je vous ai appelée chez vous à 3 heures du matin, à 5 heures. Vous êtes soit chez vous, soit au bureau, soit entre les deux. Alors, d'où elle sort, cette vie privée ? Un petit génie l'a sortie de sa lanterne magique ?

— Non, répondit une voix juste derrière elle. Elle m'a gagné au poker.

Elle fit volte-face et vit Dan, bagages en main qui la regardait avec un grand sourire. Jamais encore, elle n'avait été si heureuse de voir un homme.

Un petit hoquet derrière elle la fit se retourner. Le visage d'Owen avait viré au vert.

— Owen McCabe, dit-elle, voici Dan Crawford. Dan, je te présente Owen.

Dan posa son sac et la fit pivoter dans ses bras. Puis il l'embrassa. Il l'embrassa vraiment. Pas seulement lèvres contre lèvres, mais un vrai baiser d'amant qui obligea Jessica à serrer les poings pour s'empêcher de le repousser. De la langue, il lui ouvrit la bouche. C'était un inconnu, sapristi ! Une escorte rétribuée. Et, doux Jésus, son corps s'accorda ce que son cerveau aurait préféré éviter. Elle sentit un frisson parcourir sa colonne vertébrale, la pointe de ses seins s'ériger et ses orteils se recroqueviller. Elle craignit que ses genoux ne la lâchent.

Elle entendit toussoter Owen, mais elle était trop occupée pour s'en préoccuper. Elle goûta Dan comme il la goûtait et frotta ses poings serrés sur ses épaules.

Enfin, quand il eut fini, il la relâcha. Elle chercha son souffle, sûre qu'elle avait le visage en feu et que son désir était parfaitement visible.

Dan lui sourit d'un air entendu et se tourna vers Owen, main tendue.

— Ravi de faire votre connaissance, Owen. Jessica m'a beaucoup parlé de vous.

4.

Dan concentra toute son attention sur Owen McCabe. Non seulement parce qu'il voulait jauger la réaction du personnage à son geste initial pour le moins spectaculaire, mais aussi parce qu'il n'osait repenser à ce baiser.

Nom de nom ! Jamais il ne se serait attendu à quelque chose comme ça. Il avait connu de fabuleux baisers auparavant, mais celui-ci avait été... Comment ? Il n'en savait trop rien. Peut-être était-ce dû au fait qu'il savait devoir passer du temps avec Jessica et lui poser des questions très intimes. Ou peut-être parce qu'il avait beaucoup pensé à elle. D'un autre côté, il se pourrait bien qu'elle agisse sur lui comme un détonateur.

Le visage d'Owen avait viré du vert à un rose subtil, mais il avait toujours les yeux exorbités d'ahurissement et sa main, toujours dans la sienne, la serrait à la briser.

Dan toussa et cela suffit pour qu'il la lâche enfin.

— Je suis ravi d'avoir pu me trouver dans le coin pour le grand événement, dit-il alors, d'un ton aimable.

— Dans le coin ? couina Owen.

— Jessica ne vous l'a pas dit ? Je vais rester pendant toute la campagne. Prêter main-forte quand je pourrai. Observer ma petite chérie pendant ses heures de gloire, dit-il en se tournant vers elle, souriant.

Jessica avait l'air un peu paniquée. Il lui passa un bras autour des épaules et la serra affectueusement contre lui.

— Je sens que ça va être génial.

Owen prit l'air de celui qu'on vient de larder de coups de couteau à beurre.

— Vous allez rester *toute* la semaine ?

— Voui. Mais ne vous en faites pas. Je ne resterai pas dans vos pattes. Jessica m'a expliqué les règles, et je compte les respecter à la lettre.

Le rose des joues d'Owen devint plus vif.

— Mais, je, euh…

— Jessica m'a dit combien vous avez été formidable et à quel point elle a appris de vous. Chapeau !

Une nouvelle fois, Owen cilla. Vivement.

— Chapeau ?

— Vraiment. Je n'aurais jamais cru qu'elle puisse trouver un patron qui l'empêche de dormir. Mais vous avez réussi.

Ce fut au tour de Jessica de s'éclaircir la gorge.

— Owen partait, dit-elle, parce que j'ai des appels à passer. Tu sais bien, pour le travail.

— Bien sûr, répondit Dan, en reprenant son sac. Eh bien, très heureux d'avoir fait votre connaissance, Owen. Je suis sûr qu'on va se revoir souvent, et j'en suis ravi à l'avance.

Si Owen ouvrit la bouche, rien n'en sortit. Et il s'en fut sans un mot dans le couloir, le dos raide.

Une fois la porte de la suite refermée, Jessica se laissa choir sur un fauteuil de satin blanc, attrapa son verre à moitié plein et le vida cul sec.

— Plutôt futé, non ? dit alors Dan en se dirigeant vers le placard. Je crois qu'il a mordu à l'hameçon.

— J'ai cru qu'il allait nous faire une crise d'apoplexie et qu'il allait falloir appeler les secours.

— Je me suis dit, pourquoi ne pas y aller à fond ? pouffa-t-il. Lui montrer les limites dès le départ. Et lui donner de quoi ruminer pendant qu'il gamberge dans sa suite.

Elle l'étudia avec plus de méfiance qu'elle ne l'aurait voulu.

— Je ne pense pas qu'il ait besoin d'une autre démonstration aussi frappante.

— Peut-être pas. Mais comme vous l'avez dit, il n'est pas du genre à piger les subtilités.

— C'est sûr, c'était aussi subtil qu'un tank ! s'exclama-t-elle.

— Mais c'était rigolo aussi. Non ?

Elle posa son verre et croisa les bras. Elle avait une allure formidable dans ce tailleur crème. Les talons aiguilles la faisaient paraître plus grande, ce qui était le but, supposa-t-il, mais ils lui donnaient envie de faire courir ses doigts sur ses mollets.

Et il devait reconnaître qu'elle savait prendre l'air sévère d'une institutrice face à un gamin récalcitrant.

— Quant à l'aspect « rigolo », dit-elle d'un ton aussi pincé que sa mine, tout ceci est un travail, et je n'ai aucune intention de laisser les choses m'échapper une seule seconde. S'il devient nécessaire à vos yeux de faire montre d'affection, j'insiste pour que vous en fassiez le minimum, et non le contraire, et que vous gardiez bien présent à l'esprit que cela ne signifie rien. Absolument rien.

Il opina du menton et tenta d'imiter son sérieux.

— Je suis navré. Ce n'était pas professionnel. Mais comme je n'ai jamais été escorte dans le passé, vous allez devoir me pardonner. Je ferai mieux à l'avenir.

Elle décroisa les bras et s'en fut à la table basse, où elle sortit son portable de son sac.

— Je vous en prie, mettez-vous à l'aise et déballez vos affaires. Le canapé s'ouvre en lit, aussi installez-vous comme bon vous semble.

Sur ce, elle entreprit de composer un numéro.

Il la prit au mot et défit ses sacs. Il avait apporté une large sélection de vêtements, du sportswear au smoking, puisqu'il ignorait quels événements exigeraient sa présence. En disposant ses affaires de toilette dans la salle de bains, il jugea plus prudent de dissimuler sa boîte de préservatifs dans sa trousse de rasage.

Une fois installé, il se servit un soda au minibar, sortit ses notes de son attaché-case et s'installa au bureau d'angle.

Il écouta Jessica tout en faisant mine de lire. Et si sa conversation sur les heures supplémentaires des mannequins le laissa de marbre, il n'en alla pas de même avec la manière dont elle la dirigeait.

Une centrale électrique, avait dit fort à propos Glen. Elle dirigeait ses affaires avec force et confiance, et il savait déjà qu'elle allait remporter la victoire. Il n'existait aucun doute en elle, et ce n'était qu'une question de temps avant qu'elle ne réussisse à convaincre le délégué des mannequins.

Bien. Il avait vu juste. Ce n'était pas une femme qui allait jouer les timides et glousser bêtement quand il l'interrogerait sur ses stimulations clitoridiennes. Il étudia ses notes et les grandes lignes qu'il avait élaborées la veille. Ce n'était pas complet, bien sûr, mais il s'imaginait que le dialogue ouvrirait d'autres sujets, d'autres chemins de traverse.

Il aurait bien aimé commencer tout de suite. Tout en l'examinant, adossée à son fauteuil, les cheveux flamboyant sur le satin blanc, les chevilles croisées, il se demanda ce qu'il pourrait bien lui demander en premier. Il commencerait probablement par la question la plus évidente, du moins dans ses notes : « Qu'attendez-vous d'un homme ? »

Mais à présent, cela ne lui semblait pas la meilleure approche. Parce que s'il la lui posait, elle lui ferait une brève réponse, sans doute correcte mais limitée en pensée comme en perspective. Quand il en arriverait là, il voulait qu'elle ait déjà vécu un moment avec lui. Il voulait une réponse aussi complexe que la femme devant lui, ni plus ni moins.

Alors, par quoi commencer le dialogue ? Il espérait que ses réponses le surprendraient, le poussant vers de nouveaux sujets.

Il avait lu les livres en vogue sur les rapports entre les hommes et les femmes, mais aucun ne lui avait apporté les réponses qu'il cherchait précisément.

Chaque fois qu'il avait eu une relation stable, il y avait toujours eu quelque chose d'irréel, quelque chose « autre » chez la femme qu'il aimait. Quelque chose qui, il en était convaincu, avait voué cette relation à l'échec dès le départ.

Son père avait manifestement compris sa mère, parce qu'ils avaient été comme les deux faces d'une même pièce. Ils avaient un langage commun, à eux seuls réservé. Malheureusement, il n'avait pas pensé à demander son secret à son père quand il en était encore temps. Il avait posé la question à d'autres hommes mariés, mais ils avaient tous répondu plus ou moins la même chose : *Ecoute-la. Mets-la en premier. N'essaye pas de résoudre tous ses problèmes ; contente-toi d'être attentif et de faire des suggestions quand elle te le demande*. Ce qui était bel et bien, mais ne résolvait pas le mystère essentiel. Du moins pour lui.

Bien sûr, il avait pensé que, même s'il était un as en informatique, il lui manquait peut-être un ou plusieurs neurones pour comprendre les femmes. Si tel était le cas, l'expérience qu'il allait mener avec Jessica mettrait directement ce défaut en évidence. Il ne serait pas ravi de le savoir, mais au moins cesserait-il d'essayer autant de trouver les informations qui lui manquaient.

Et il avait de la chance, car Jessica avait toutes les qualités d'un sujet de recherche idéal, et il était privilégié de l'avoir rencontrée. Donc, la meilleure chose était d'oublier tout à-côté libidineux. Il faisait une étude de terrain, pas une fraternisation avec l'autochtone.

— Juste pour vous prévenir, dit Jessica en se levant. Mon assistante va arriver. Je vais vous présenter, mais elle n'a nullement besoin d'être convaincue que vous êtes mon petit ami. D'accord ?

— J'agirai en parfait gentleman.

— Génial. On va en avoir pour un moment, donc si vous avez autre chose à faire…

— Non. Tant que je ne suis pas dans vos pattes.

Elle s'en fut se servir un soda au bar.

— Je ne pense pas, mais, s'il vous plaît, ne vous vexez pas si je vous demande de sortir. C'est nouveau pour moi, aussi.

— Pas de problème.

Elle but un peu de soda, puis s'en alla chercher une mallette dans la chambre et se rassit dans le fauteuil blanc. Un instant plus tard, elle prenait des notes et l'avait oublié.

Il l'observa un bon moment. Il aimait bien ses mains, si petites mais si nettes, aux ongles soignés et vernis mais courts. Comme tout en elle, ils étaient consacrés au travail et ne devaient pas la déranger. A l'inverse de toutes les femmes qu'il connaissait et qui ne voulaient surtout pas déranger une mèche de leur coiffure, Jessica passait son temps à passer la main dans ses cheveux pour les repousser. Comme ils étaient épais et bouclés, ils n'en faisaient qu'à leur tête et suivaient les mouvements de son corps.

Son maquillage était léger. On aurait dit qu'elle pouvait se préparer en dix minutes à peine, mais bien sûr, il pouvait se tromper. Peut-être que cet aspect naturel exigeait des heures d'effort, mais il en doutait. Elle avait des choses à accomplir, mais pas sur sa personne.

Pour quelle raison était-elle aussi déterminée ? Il eut envie de connaître son passé. Fille unique ? Probablement. Ou bien elle était l'aînée. Le père avait certainement réussi, et elle avait décidé de l'égaler. Elle n'avait probablement pas beaucoup d'amis, et peu de distractions également. Pas d'animaux. Ou alors ce ne pouvait être qu'un poisson rouge qui ne demandait pas beaucoup d'entretien et n'avait, en tout cas, aucune exigence.

La seule femme aussi déterminée qu'il ait jamais connue était une négociatrice bancaire. Kathleen. Elle l'avait battu au squash avant de l'emmener chez elle, où ils avaient eu des pratiques sexuelles un peu spéciales. Elle avait voulu être dominée, ligotée. Possédée. Il s'y était plié, et avait pris du bon temps, mais il ne l'avait jamais rappelée. Le sadomasochisme, c'est drôle une fois, mais pas en régime continu.

Jessica serait-elle comme ça ? Autoritaire dans le domaine professionnel, mais voulant être dominée au lit ?

L'idée avait un certain attrait... mais tout ce qui touchait au sexe avec Jessica lui faisait envie !

Il jeta quelques notes sur son bloc pour se souvenir de lui demander ses préférences sexuelles.

Un coup fut frappé à la porte, et Jessica alla ouvrir à une jeune femme aussi rousse qu'elle. Dan pensa qu'elle était fraîche émoulue de l'université. Elle était jolie, avec une bouche un peu tordue et d'immenses yeux. Le regard qu'elle lui lança fut interrogatif et curieux, mais différent de celui qu'elle jeta à sa patronne.

Il se leva pour les présentations, mais elle garda le regard braqué sur Jessica.

— Puis-je vous servir un verre ? proposa-t-il.

Même s'il ne s'agissait pas d'Owen, il était toujours censé être le petit ami serviable.

— Bien sûr, répondit Marla. Je crois que j'en ai besoin.

— Soda ? Vin ?

— Soda, merci. Le vin, plus tard. Après le travail. Je ne peux pas me permettre de devenir pompette. Il y a trop de tâches à faire et à venir.

— C'est ce que j'ai entendu. Vous devez être excitée.

— Oh, oui ! J'apprends tant de choses.

— Marla me sauve la vie, dit Jessica. Et j'adorerais poursuivre sur ce sujet, mais je crois qu'une bonne nuit de sommeil est dans notre intérêt, aussi que dirais-tu de nous y mettre tout de suite ?

— Absolument, répondit son assistante avant de s'installer sur le canapé, jambes repliées sous elle.

Dan servit son soda, le posa près d'elle et se rassit au bureau. Avec l'intention de prendre plus de notes, d'élaborer son plan d'action, mais il fut très vite captivé par la dynamique des deux jeunes femmes et ne bougea plus jusqu'à 21 h 40, quand Jessica décida que cela suffisait. Au cours des heures écoulées, il avait appris deux ou trois choses à son sujet. Mais surtout qu'il aimait sa manière d'être.

Enormément.

Jessica ferma la porte derrière Marla et résista à l'envie d'appuyer le front contre le bois frais. Elle était fatiguée. Pas uniquement parce que c'était J moins un, mais à cause de l'homme assis sagement derrière le bureau.

Elle avait dû faire appel à tout son pouvoir de concentration pour l'ignorer. Jamais elle ne se laissait distraire. Un fichu ouragan aurait pu tout dévaster dehors sans qu'elle lève ne serait-ce qu'un sourcil. Mais Dan avait attiré son attention dès l'instant où il était arrivé.

Elle avait bien pensé à lui demander de les laisser, et puis elle s'était dit qu'elle allait se reprendre sans difficulté. Mais non. Dan l'intéressait maintenant autant qu'avant, et même plus… à présent qu'ils étaient seuls.

Qu'avait-il griffonné sur son bloc ? Comment avait-il pu rester assis à les écouter en silence pendant des heures ? Impossible qu'il soit passionné à ce point par les cosmétiques New Dawn !

Le projet qu'il lui avait soumis ne l'avait pas aidée à rester concentrée. C'était, semblait-il, un homme très brillant. Après leur rencontre, elle avait fait d'autres recherches et découvert qu'il était *effectivement* brillant. Self-made millionnaire, il possédait une firme de consultants qui créait des systèmes informatiques révolutionnaires utilisés, entre autres, par le FBI, le Département de la Défense et des Impôts…

Elle pivota et le vit s'étirer tant que sa chemise sortit de sa ceinture et révéla un coin de peau au-dessus de sa ceinture. Elle ferma les yeux, sans trop savoir pourquoi, et quand elle les rouvrit, il avait baissé les bras.

— Je ne comprends toujours pas, lui dit-elle. Je n'arrive pas à imaginer quelles sortes de questions vous voulez me poser.

— Pas de problème. J'y arrive, moi. J'en ai beaucoup écrites sur mon bloc.

— Par exemple ?

— Pas encore. Pour l'instant, je crois que l'important est de manger. Je meurs de faim et vous aussi, certainement.

Elle jeta un regard nostalgique à la porte de la chambre. C'était ça qu'elle voulait vraiment. Dormir. Mais il avait raison, elle n'avait rien mangé depuis le matin.

— En effet.

— Super. Pourquoi ne pas descendre ? Ils ont de magnifiques steaks et une belle cave au restaurant.

— Ça me va. Mais d'abord je veux me rafraîchir un peu.

— Allez-y. Je les appelle.

Dans la salle de bains, elle fut un peu surprise de découvrir ses affaires de toilette près des siennes. Ce n'était qu'un nécessaire de rasage en cuir, mais quand même. Elle tenta de se remémorer la dernière fois qu'elle avait partagé une salle de bains avec un homme. A l'université. Et pas longtemps.

Son regard partit alors vers son reflet dans le miroir. Elle n'avait pas l'air aussi crevée qu'elle se sentait. Bon, le plus important était de ne pas se laisser affecter par cet arrangement ; il n'était qu'une escorte louée ; quelqu'un qui faisait un travail. Elle savait comment ça marchait, puisqu'elle avait elle-même fait des recherches à l'université. Il interrogerait, elle répondrait, et le reste du temps, elle travaillerait. Enfantin.

Pourtant...

Elle avait tellement *conscience* de sa présence. De sa forte carrure. De ses hanches minces. De la manière dont ses cheveux tombaient sur son front. En fin de compte, son nez n'était pas si grand, juste bien proportionné.

Elle poussa un soupir, voûta les épaules et fixa un regard vide sur le lavabo. Le baiser qu'il lui avait donné l'avait totalement surprise. Et surtout la manière dont elle y avait réagi. Nom d'un petit bonhomme, ce n'était pas elle, ça ! Jamais. Et ça n'allait plus se reproduire.

Cette semaine était vitale pour sa carrière et rien ne devait venir contrecarrer ses plans. Au besoin, elle le virerait.

Il commanda un châteauneuf-du-pape 1999, parfait pour accompagner le filet mignon qu'elle avait demandé et le T-bone steak qu'il avait préféré.

Elle ne mangeait pas beaucoup de viande en général, mais ce soir, elle en avait eu envie. Accompagnée d'une salade verte et de pommes de terre frites, ce fut un vrai délice. Bien sûr, le vin ne fit qu'ajouter au plaisir de la nourriture. L'atmosphère du restaurant était paisible et confortable, les serveurs étaient discrets, mais toujours à portée de main, et elle aimait même le décor mural derrière Dan. Moderne, mais agréable à regarder.

Au cours du repas ils discutèrent beaucoup de la mère de Dan. Jessica connaissait Colleen Crawford et avait même lu quelques-unes de ses publications. Elle comprit qu'elle avait une relation privilégiée avec son fils et que son mariage avait été idéal.

— Pourquoi ne lui posez-vous pas ces questions qui vous perturbent tant ? demanda-t-elle.

— Elle ne me répondra pas.

— Pardon ?

— Elle ne répondra pas. Selon elle, je dois apprendre par l'expérience.

— Mais vous ne la croyez pas.

— Effectivement. Mais je pense qu'elle a été influencée par sa propre relation avec mon père. Elle ne comprend pas le dilemme que je vis.

— Pour être franche, moi non plus.

— Plus nous parlerons, plus vous le comprendrez.

— N'en soyez pas aussi certain. Je ne suis pas très brillante sur le sujet des hommes. Je n'ai jamais été amoureuse.

— Je ne pense pas que ça ait de l'importance, dit-il en buvant une gorgée de vin.

— Non ?

— Mes questions portent sur vous. Sur ce que vous voulez, ce dont vous avez besoin.

— Je pourrais vous le dire en deux phrases.

— J'en suis certain. Mais j'espère que vous ne le ferez pas. Je veux que vous répondiez à mes questions dans l'ordre selon lequel je vous les poserai. Pas avant.

— D'accord.

Il sourit. Elle mangea son dernier morceau de pain. Puis elle tapota la table.

— Alors ?

— Alors quoi ?

— Demandez.

— Oh, non. Pas encore.

— Pourquoi ?

— Je passe un trop bon moment.

— Et des questions le gâcheraient ? dit-elle en riant.

— Peut-être. Je ne sais pas.

— A quel point ces questions sont-elles choquantes ?

Ce fut son tour de rire.

— Elles ne le sont pas. Même si elles sont personnelles.

— C'est ce que j'avais compris.

— Nous commencerons plus tard.

— Plus tard ? C'est-à-dire ? Je suis épuisée. Tout ce dont je rêve maintenant, c'est de mon lit. Je dois me lever à 5 heures.

— Ce qui signifie que moi aussi ?

— Non. Demain matin est le jour du maquillage. Je serai chez Bloomingdale's. Owen ne sera pas là.

— Donc, quand devrai-je être sur le pont ?

— Demain soir. C'est la grande inauguration. En smoking, j'en ai peur.

— Pas de problème. Je suis équipé.

— Soyez prêt aux alentours de 17 heures.

— Oui, madame.

Elle savait qu'il saurait comment se comporter à la réception. Il était suffisamment à l'aise sans l'être trop. Leur conversation pendant le dîner s'était déroulée remarquablement bien.

Elle le regarda avant de secouer la tête.

— Non, dit-elle. Ça ne va pas marcher !

— J'ai déjà porté un smoking dans ma vie, vous savez ! répliqua-t-il d'un ton faussement vexé.

— Cela n'a rien à voir ! Je ne vais jamais arriver à dormir si je me demande quelles questions vous comptez me poser. Alors, vous allez devoir m'en poser une maintenant. Au moins une. Notre repas est presque terminé, donc il n'y a plus rien à gâcher.

— D'accord, acquiesça-t-il, à contrecœur. Si vous insistez.

— J'insiste.

Il baissa la tête un long moment, assez longtemps pour qu'elle empoigne sa fourchette, pour l'agiter devant son nez d'un air menaçant.

Alors, il plongea, la tête la première.

— Est-ce que vous aimez qu'un homme vous attache au lit ?

5.

Jessica le dévisagea, bouché bée, tandis que les mots se bousculaient dans sa tête. Paisible, presque alangui sur sa banquette, Dan attendait sa réponse.

— Si je *quoi ?*

— Si vous aimez être attachée lors d'une relation sexuelle.

Il se pencha en avant, la lueur des bougies se reflétant dans ses pupilles.

— Vous savez, quoi, être dominée. Vous laisser prendre, laisser tout le contrôle à votre partenaire.

Elle prit son verre et le vida d'un trait avant de le reposer.

— Vous m'aviez parlé de questions sur les femmes. Pas sur le sexe.

— Le sexe en fait partie. Une grande partie. Bien sûr, il est vrai que je n'avais pas prévu de commencer par là, mais, à l'évidence, c'est la question que j'avais à l'esprit. Alors, pourquoi pas ?

— Pourquoi pas ? dit-elle en croisant les mains sur ses genoux. Je sais que j'ai accepté d'être franche, mais pour l'amour du ciel, Dan, vous poussez le bouchon un peu loin !

— Ah, dit-il manifestement surpris. Je pensais que vous aviez compris que mes questions vont être très personnelles. Intimes même.

Elle vida le fond de la bouteille dans son verre. Sans la journée de demain, elle en aurait commandé une autre.

— Je ne pose pas ces questions pour vous mettre mal à l'aise. Franchement. J'ai juste besoin de comprendre, ajouta-t-il.

— Et que j'aime ou non être attachée va vous en dire plus ?

— Peut-être pas infiniment plus, mais oui, plus.

— Pourquoi avez-vous pensé à cela en particulier… ?

— Parce que vous êtes si forte. Je vous ai regardée travailler aujourd'hui, et vous aimez diriger. Au moins dans le travail. Ce qui m'a fait me demander si, en d'autres domaines, vous ne seriez pas soulagée de ne pas avoir à le faire.

Elle avait déjà lu des articles sur ce genre de relations sexuelles. Principalement des hommes de pouvoir qui se rendaient dans des clubs très onéreux où une dominatrice en faisait ses larbins. Après une autre gorgée de vin et un profond soupir, elle le regarda.

— Je vais vous dire, Dan. Je n'ai jamais été attachée, alors en toute franchise je suis incapable de dire si j'aime ça.

— Vous y avez déjà pensé ?

— Non.

— Vraiment ?

— Attendez. Là, ça ne va pas marcher. Si je réponds à vos questions pour faire avancer votre connaissance des femmes, même si j'ai des doutes sur leur utilité, alors vous allez devoir me croire. Sinon, à quoi ça sert ?

— Je ne mettais pas votre parole en doute. J'entendais simplement…

— D'accord, en ce cas, le coupa-t-elle. Oui, vraiment. Je n'y ai jamais pensé.

— Je vois.

— Vous semblez déçu.

— Pas du tout. Enfin, peut-être un petit peu.

Elle se mit à rire, plus de surprise qu'autre chose.

— Vous n'êtes vraiment pas ordinaire. Vous le savez, au moins ?

— Pas ordinaire ? C'est une jolie façon de le dire. Mais oui, je le sais. J'ai toujours été comme ça. Probablement à cause de la manière dont j'ai été éduqué.

— C'est-à-dire ?

— Mes parents ne croyaient pas à l'éducation traditionnelle. Je ne suis pas allé à l'école.

— Comment ça ?

— J'ai été éduqué à la maison. Mais même mes apprentissages n'ont pas été faits de manière traditionnelle. Mes parents étaient adeptes d'un type qui s'appelait John Holt. Ce monsieur disait que les enfants sont des éponges et que leur curiosité est innée. Dès qu'ils en ont l'occasion, les gosses explorent tous les nouveaux sujets possibles. Mais très peu d'enfants ont le luxe de pouvoir apprendre librement. Je l'ai eu.

— Comment décidiez-vous ce que vous alliez explorer ?

— Tout ce qui piquait mon intérêt. J'aimais les insectes, alors je suis sorti et j'ai attrapé toutes sortes d'insectes ; j'ai lu des livres sur l'entomologie, je suis allé dans des musées en Afrique, en Asie et ici à New York. J'en sais beaucoup sur les insectes.

— Mais cela implique que vous saviez lire. Que vous saviez où regarder.

— Exact. Mes parents m'ont appris à lire et à écrire. Très tôt, bien sûr. Et j'ai fréquenté les bibliothèques et les musées avant de savoir marcher.

— Et c'est comme ça que vous avez tout appris ? Et si vous aviez décidé que vous n'aimiez pas les maths ?

— C'est justement là l'intérêt. Toutes les matières peuvent être intéressantes si elles sont présentées avec passion. J'ai très tôt compris que l'argent était un outil de pouvoir, alors apprendre à compter m'a paru logique.

— Mais moi, à l'école, il y avait des sujets que je détestais.

— Je parie que c'était grandement dû à vos professeurs. Souvenez-vous, la passion est la clé. Et elle est contagieuse. Vous avez envie de participer quand quelqu'un aime ce qu'il fait. Mes parents faisaient en sorte de me placer face à des gens qui adoraient ce qu'ils faisaient.

— Seigneur ! Comment savaient-ils que vous seriez bien entouré ? Et l'université ?

— Je n'y suis pas allé, dit-il en souriant. La manière dont je vois les choses, c'est que je suis toujours à l'université. Souvenez-vous que l'apprentissage ne tient pas à la mémorisation. Il tient à la compréhension. Non que je comprenne tout ce que j'aborde, mais je m'en rapproche. Mettons que je saisis les bases de la physique quantique, mais c'est tout. D'un autre côté, je suis assez calé dans le domaine informatique.

— C'est ce que j'ai lu.

— Lu ? s'étonna-t-il.

— Vous n'imaginiez pas que j'allais vous laisser partager ma suite sans procéder à quelques recherches sur vous, quand même ?

— Je n'y avais pas songé, mais maintenant que vous le dites, cela se tient. Qu'avez-vous découvert ?

— Que vous avez beaucoup de succès dans votre entreprise de consulting en informatique et que vous ne plaisantiez pas en disant que vous n'aviez pas besoin de mon argent.

— C'est tout ? Vous n'avez trouvé que des renseignements sur ma vie professionnelle ?

— J'ai cherché sur Internet, pas dans une boule de cristal.

— Eh bien, la prochaine fois, essayez autre chose que Google. Vous me trouverez.

— Que trouverai-je ?

— Pas question que je vous le dise. Je ne veux pas être le seul à être surpris pendant ces quelques jours ensemble.

— Je suis déjà surprise. Croyez-moi.

Il se pencha si près que sa bouche toucha presque son oreille. Si près qu'elle put percevoir son souffle.

— Vous n'avez encore rien vu, murmura-t-il.

— Je m'en doute, répondit-elle sur le même ton.

Elle s'éclaircit la gorge, décroisa les jambes et regarda sa montre.

— Mais espérons que les surprises ne me feront pas perdre la tête. Cette semaine est cruciale pour mon avenir.

— Je ne peux rien promettre. Mais je vais essayer.

— Merci.

— Il est temps d'aller au lit. A moins que vous n'ayez envie d'un dessert ?

— J'ai besoin de dormir. Le plus possible.

— Alors, filons au plus vite.

Et, bientôt, ils furent de retour dans la suite si aimablement fournie par Owen. La première chose qu'elle y vit en arrivant, ce fut un panier de taille peu ordinaire posé sur la table basse. Elle alla extraire le bristol de l'emballage.

Elle lut à mi-voix le texte : « Jessica, j'ai adoré le gag. Il faut qu'on parle. Petit déjeuner demain avant Bloomingdale's ? Je serai à la cafétéria à 6 heures. »

Le mot n'était pas signé, mais elle sut de qui il venait. Au moins le petit déjeuner n'aurait-il pas lieu dans la suite.

— Joli panier, dit Dan. Fourni par Owen ?

— Oui.

— Du chocolat, du champagne... Parfait.

— Que voulez-vous dire ?

— Il est inquiet. Quand la réception sera terminée demain soir, il sera convaincu.

— Je l'espère.

— Faites-moi confiance.

Elle jeta la carte sur la table et le regarda dans les yeux.

— Vous savez ce qui est bizarre ?

— Quoi ?

— Je vous fais confiance.

Marla vérifia son planning pour la millième fois. Tout s'était passé sans anicroche pour l'instant, ce qui la rendait d'autant plus nerveuse.

Les dix heureux auditeurs avaient été coiffés, maquillés avec les produits New Dawn, et tous étaient superbes. On avait pris des photos, les médias s'étaient montrés coopératifs... En bref, le premier élément de la campagne New Dawn avait été un franc succès.

A présent, alors que Jessica s'occupait des derniers préparatifs au Panorama, elle était chargée de rassembler les mannequins et de faire en sorte qu'ils soient tirés à quatre épingles et prêts pour la soirée à venir.

A son avis, le mannequin qui était la star de la campagne n'était pas Sheere O'Brien, même si elle se faisait dans les cinq millions de dollars annuels comme représentante de New Dawn. La vraie star, pour Marla, c'était Shawn Foote. Il n'était pas aussi connu que Sheere, mais c'était le célibataire le plus beau de la planète. Le seul fait de penser à lui la rendait toute chose.

Il était si… Elle soupira. Ses cheveux clairs retombaient si joliment sur son visage… Ses yeux noisette étaient si craquants et pleins d'intelligence… Sûr, elle allait se conduire comme une idiote face à lui.

Sa montre lui apprit que les mannequins devaient arriver d'ici à quelques minutes. Ils allaient investir le grand salon de l'hôtel qui avait été ceint de cordon pour maintenir les curieux. Toute une foule de badauds attendait de voir ce qui allait se passer, des paparazzi aussi, ce qui était parfait. Car la publicité était le maître mot de cette semaine.

Tout ce qu'elle avait à faire, ce serait d'éviter de trébucher. Se conduire en professionnelle. Comme Jessica. Elle pouvait le faire. Du moins essayer.

Une première limousine s'arrêta sous l'auvent. Mais ce n'était que Sheere. Les flashes crépitèrent alors qu'elle l'escortait jusqu'au salon. Deux autres modèles arrivèrent bientôt, elle les escorta de même, et puis *il* arriva. Le seul mannequin homme. Destiné à présenter le parfum Daybreak. Il descendit de la limousine en jean élimé, T-shirt et baskets, et le cœur de Marla fit un bond quand il se retourna et lui sourit. Oh, Seigneur ! Ce sourire. Ce visage. Ces cheveux. C'était insupportable. Elle allait mourir là, tout de suite…

— Vous devez être Marla, dit-il.

Cette voix. Juste comme elle l'avait imaginée. Douce, grave, parfaite. Elle réussit à hocher la tête.

— Ravi de vous rencontrer. Je suis Shawn, reprit-il en lui tendant la main.

Elle paniqua, sentit ses paumes devenir moites. Franchement, ce n'était pas le moment ! Impossible de s'essuyer la main devant lui, aussi prit-elle la sienne.

Il avait une poignée de main douce, mais ferme aussi. Puis il la lâcha. Sa main. Pas ses yeux. Ceux-là, il continua à les regarder. Et elle fut perdue.

— Par où ? demanda-t-il.

— Je ne… Oh. Par ici.

Elle fit volte-face. Et réussit à ne pas se casser la figure, et à l'escorter jusqu'au salon.

Si elle ne mourait pas sur-le-champ, elle allait avoir tout le temps de repenser à ce sourire…

6.

Dan se regarda dans le miroir et redressa son nœud papillon. Ce smoking Armani lui allait comme un gant, il se sentait à l'aise en le portant et valait largement la somme astronomique qu'il l'avait payé.

Il jeta un œil sur la porte de communication qui séparait la chambre du salon. Elle était toujours fermée. Jessica était rentrée une heure plus tôt, lui avait dressé un bref résumé de sa journée, et lui avait parlé de l'insistance d'Owen, persuadé que Dan n'était pas vraiment son petit ami. Puis elle s'était enfermée pour se préparer.

Il avait contemplé très longtemps sa porte, conscient de son envie d'entrer chez elle, de la regarder trier ses affaires et se préparer. Elle était passée peu après, vêtue d'un seul kimono, pour aller se doucher. En sortant de la salle de bains, elle arborait un élégant chignon et son maquillage aussi discret qu'impeccable intensifiait le bleu de ses yeux. Et ses lèvres offraient l'aspect alléchant de fraises fraîchement cueillies.

Elle avait de nouveau disparu, le laissant s'habiller. Ils devaient être à la réception une heure avant les premiers invités afin qu'elle puisse veiller aux derniers détails. Marla avait appelé, et Jessica avait pris la communication dans sa chambre. Cette interruption mise à part, il avait été perdu dans ses pensées, des pensées qui n'allaient que dans une direction. Très étroite.

La veille, quand Jessica était allée se coucher, il n'avait pas réussi à trouver le sommeil. La question qu'il lui avait posée l'avait tourmenté la nuit durant... Il n'avait cessé d'imaginer comment il attacherait Jessica avec des liens de soie à son grand lit. Dans la plupart des scénarios, elle était nue, dans d'autres elle portait un slip et un soutien-gorge en dentelle blanche ou noire. Ou bien un bustier intégral, avec porte-jarretelles, bas noirs et talons aiguilles. Ou alors une fine chemise et une jupe qu'il relevait sur ses hanches afin de mieux lui écarter les jambes.

Dans chacun, elle avait commencé par montrer de l'hésitation et même une pointe de frayeur, puis de l'excitation au fur et à mesure qu'il jouait avec son corps, et pour finir il avait imaginé ses cris de jouissance.

Et la seule manière qu'il eut d'arriver à trouver le sommeil fut de souhaiter qu'avant de lui dire au revoir, il la possède dans son lit. Que Jessica lui montre la créature sensuelle qu'il avait perçue sous sa carapace de femme d'affaires.

Le matin était arrivé bien trop vite, ainsi que le départ de Jessica. Il était ensuite revenu sur ses notes. Les questions préparées la veille ne lui paraissaient plus suffisantes.

Il ne savait trop quelle tactique adopter.

Puis la frustration était devenue si intense qu'il avait fui la suite et était allé s'exercer jusqu'à l'épuisement au gymnase de l'hôtel. Chez lui, il ne soulevait pas des poids aussi longtemps. Bref, il en était sorti les muscles plaisamment douloureux.

De retour dans la suite, il avait pris une douche, s'était habillé et avait découvert que Jessica était revenue. Elle était dans sa chambre depuis une bonne heure maintenant, et devrait bientôt en sortir s'ils voulaient être à l'heure. Il aurait bien bu un verre en l'attendant, mais il voulait avoir la tête parfaitement claire afin de mesurer la situation lors de la réception. Plus tard, si tout se passait bien, il s'offrirait un peu de champagne, mais pour l'instant, un verre d'eau allait faire son bonheur.

La porte s'ouvrit derrière lui, et il se leva avant de se retourner. Et ce qu'il vit le stupéfia. Jessica ressemblait à la femme de ses fantasmes, toutes les femmes en une seule. Elle portait une robe, sans manches, écarlate — de la teinte de ses lèvres —, resserrée à la ceinture, qui soulignait ses seins parfaits. Les pans retombaient librement jusqu'à ses chevilles. Il ne vit dépasser qu'une chaussure, de la couleur exacte de la robe. Simple, élégant, c'était absolument parfait. Et saisissant.

— Etonnante, dit-il, plus bas qu'il ne l'aurait voulu.

Elle lui sourit, le rose aux joues.

— Merci. Vous êtes assez étonnant vous-même.

— Dans ces vieux oripeaux ? plaisanta-t-il. Je les enfile pour aller aux champignons.

Il en fut récompensé par un éclat de rire. Il aimait bien la manière dont les yeux de la jeune femme se plissaient quand elle riait. Il y avait un tas de choses qu'il aimait bien chez elle, d'ailleurs.

— Etes-vous prête ?

— Plus que jamais.

— Alors, le carrosse nous attend, répondit-il en lui présentant son bras.

— Je me passerai du carrosse ! Tout ce dont je rêve, c'est que cette soirée se termine sans catastrophe majeure.

— Elle va être un franc succès, j'en suis sûr.

Alors qu'elle le rejoignait, il remarqua son sac, ou plutôt son réticule, écarlate comme la robe, scintillant comme son fard à paupières.

— Le seul problème auquel vous aurez à faire face sera la jalousie que les autres femmes vont éprouver en vous voyant.

— Je n'arrive pas à croire que vous ne compreniez pas les femmes, dit-elle en lui prenant le bras. Vous êtes pourtant maître dans l'art de la flatterie.

— Vous pensez que c'était de la flatterie ? Erreur. Je n'énonçais que les faits, en bon chercheur que je suis.

Elle rit encore.

— Rendez-moi service, voulez-vous ? Faites en sorte que je n'aie pas Owen sur le dos ce soir, et je ferai tout ce que vous voudrez.

— Ah oui ? dit-il, sourcils levés. Je vous prends au mot.

— Prenez-moi, prenez-moi, dit-elle avant de s'arrêter brusquement. Au mot, voulais-je dire, se corrigea-t-elle.

Il ne répondit rien, ravi toutefois d'apprendre qu'il pouvait la faire facilement rougir. Il décida de changer de sujet.

— Owen vous a-t-il trouvée ce matin ?

— Oui, dit-elle en ralentissant le pas. Il a beaucoup ri, comme si nous partagions une gigantesque farce. Et il m'a demandé si vous étiez mon ami homosexuel.

— Et ?

— J'ai répondu que j'aurais dû parler de vous plus tôt, parce que ça commençait à devenir sérieux entre nous, mais que je m'efforce de garder privée ma vie personnelle.

— Futé. Qu'a-t-il dit ?

— Je ne sais pas, j'ai été sauvée par le gong. Un appel de Marla sur mon portable auquel j'ai dû aller répondre dehors.

— De mieux en mieux. Mais ne vous faites pas de souci. Ce soir, nous allons mettre fin à ses doutes.

Elle entra la première dans l'ascenseur. Un homme en complet veston fatigué était avachi contre la paroi, et il dévisagea Jessica avec tellement d'insistance pendant la descente que Dan eut envie de lui faire manger le tableau de boutons. Il se planta entre elle et le lourdaud et lui passa un bras autour des épaules.

— Une répétition ? dit-elle en levant les yeux sur lui.

— Comment pouvez-vous savoir qui sera de l'autre côté de la porte quand nous arriverons au rez-de-chaussée ? rétorqua-t-il en souriant.

Si elle ne parut pas convaincue, elle ne bougea cependant pas d'un millimètre.

— A propos, je pense que nous devrions nous tutoyer, sinon nous n'aurons pas l'air très... intimes, chuchota-t-il au creux de son oreille.

Jessica frissonna en sentant le souffle chaud de Dan près de son cou. Elle hocha la tête en signe d'acquiescement.

— A propos de ce soir..., dit-elle au bout d'un instant.

— Oui ?

— Quels sont tes projets ? La star de la soirée est New Dawn. Nous avons convié une foule de célébrités, et je ne veux pas que le point de mire soit moi. Ou nous.

— Ma seule cible a pour nom Owen, répliqua Dan d'un air solennel.

— A quel point ta démonstration sera-t-elle flagrante ? s'inquiéta-t-elle.

— Ne t'en fais pas. Ça va être superbe. Je ne suis peut-être pas allé à l'université, mais je sais comment me comporter avec les grandes gueules.

— Je crois que je vais te faire confiance, dit-elle en se détendant.

— Contente-toi de te concentrer sur le travail. Je m'occupe du reste.

Dès qu'ils descendirent de la limousine devant le Panorama, Jessica vérifia d'un coup d'œil que les cordons maintenaient bien les paparazzi de chaque côté de l'entrée. Les videurs étaient vêtus de smokings impeccables et les lampes à arc balayaient le ciel. Tout semblait en ordre, et quand Dan lui prit la main, elle se détendit un peu. Elle avait déjà assisté à de nombreux événements semblables à celui-ci, mais n'en avait jamais été responsable auparavant. Elle trouva du réconfort dans la solidité de son équipe et au fait qu'elle avait veillé aux moindres détails presque jusqu'à l'obsession. Toutefois, il suffisait d'un rien pour enrayer la machine et faire tourner au désastre la soirée.

Pour une raison inconnue, la main de Dan allégeait l'anxiété qu'elle ressentait. Sa présence dégageait une confiance dans laquelle elle pouvait puiser de l'apaisement. Et pourtant, elle aurait dû être d'autant plus nerveuse. Cet homme faisait naître en elle des pensées flirtant avec le danger, mais peut-être était-ce là la clé. Une bonne partie de sa peur avait disparu par la conscience de sa présence. Oui. C'était parfaitement logique. Elle lui en fut reconnaissante.

A l'intérieur, le club, décoré de milliers de ballons couleur pêche, la couleur de New Dawn, était fabuleux. Elle qui avait eu peur que le décor ressemble à une chambre d'adolescente ! En fait, l'élégance des décorations florales, des objets d'art et des tentures en faisait plutôt un décor onirique. Cela fonctionnait à merveille. Et une fois que la piste de danse serait pleine, que la musique jouerait, l'atmosphère virerait à la sensualité, exactement ce qu'elle avait recherché.

Depuis le bar, Marla lui fit signe de la main et se dirigea vers eux. Elle avait fière allure dans sa robe noire toute simple. Radieuse, elle avait attaché ses cheveux avec une pince diamantée, et portait deux petits diamants véritables à ses oreilles.

— Oh, vous êtes splendides ! s'extasia-t-elle en marchant tout autour d'eux. Tous les deux !

— Vous pouvez parler, dit Dan. Avant longtemps, chaque homme présent voudra un peu de votre attention également.

— Oh, je ne crois pas, dit-elle, les joues rose vif, tête baissée.

— Eh, dit Dan en lui prenant la main.

Elle leva les yeux mais pas la tête.

— Un jour, dans le désert, j'ai regardé une chenille se muer en grand monarque. Sa mue m'a coupé le souffle, et quand j'ai essayé de décrire la beauté du papillon à un ami, je n'ai pas trouvé les mots. Ce soir, il me suffirait de pointer le doigt sur vous, et il comprendrait.

Marla rougit encore plus et une larme perla au bord de ses cils.

— Je ne...

Dan se pencha et lui posa un baiser sur la joue, puis il souffla, assez fort pour que Jessica entende :

— Faites-les tous tomber, beauté.

L'attention de Jessica passa aussitôt de son assistante à ce drôle de bonhomme qu'elle avait embauché pour l'escorter. Comment avait-il pu deviner que Marla avait lutté pour se transformer en jeune femme confiante ? Que cette robe, ce look étaient totalement nouveaux ? Que ce dont elle avait le plus besoin était un homme, un bel homme sûr de lui lui affirmant qu'elle était belle, afin qu'elle puisse entrer en toute confiance dans cette nouvelle phase de sa vie ?

Marla les quitta en flottant presque au-dessus du sol, sur une vague promesse de revenir voir si tout allait bien. Dan lui sourit, pas triomphant pour un sou, contrairement à ce qu'elle aurait pensé. Il avait éclairé la soirée de Marla, et elle savait que la plupart des hommes s'en seraient glorifiés.

— Puis-je aller te chercher quelque chose à boire ? demanda-t-il. Ou préfères-tu que je t'aide, si je peux ? Je suis assez doué avec un marteau ou un torchon à vaisselle.

— Non, merci. Je pense que tout est en ordre, mais si tu en as envie, accompagne-moi pour une dernière tournée de vérification.

— Avec grand plaisir.

Après une demi-heure de discussions, de conseils et de précisions avec le disc-jockey et le personnel, Jessica ramena Dan dans la salle principale. Alors qu'ils pénétraient dans la grande pièce, elle sentit la main de Dan glisser de son épaule et se poser sur sa nuque. Elle eut pour première réaction de se raidir au contact de ses doigts tièdes, mais elle se reprit. Une simple connaissance masculine pouvait certainement toucher sa main, son bras ou même son épaule. Mais la nuque ou le visage allaient avec un message implicite : *Nous sommes plus que des amis, et si tu laisses ma main là où elle est, nous allons vers l'intimité.*

Elle n'avait jamais laissé personne s'introduire dans son intimité depuis des années... Si elle avait eu un rendez-vous galant avec Dan, se serait-elle raidie ? Ou aurait-elle accueilli ce geste avec plaisir ?

Elle pouvait très bien secouer la tête et dégager sa main. Mais après tout, Dan ne faisait que son travail. Il ne faisait que rendre évident aux yeux de tous qu'ils étaient ensemble. Elle n'osa donc pas lui dire de déplacer sa main au cas où Owen serait dans les parages. Il pouvait arriver n'importe quand et l'épier pour, justement, voir ce genre de comportement. Aussi ralentit-elle le pas, leva-t-elle les yeux vers Dan et glissa-t-elle une main autour de sa taille.

— Ça va ? articula-t-elle avec l'air le plus naturel possible.

— Oui, bien sûr. Et j'ai l'intention de profiter pleinement de cette soirée. J'espère que toi aussi.

— Je ne suis pas là pour m'amuser. Je travaille.

— Qui a dit que les deux ne sont pas compatibles ? Tu peux t'occuper de ton travail et prendre quand même du plaisir.

Jessica s'arrêta net.

— De quelle planète viens-tu, au juste ?

Il secoua la tête, l'air perplexe.

— Pourquoi ? Si on ne s'amuse pas en travaillant, je ne vois pas l'intérêt, franchement.

— S'amuser ? Le but d'une carrière n'est pas l'amusement.

— Pourquoi non ? Quels meilleurs critères vois-tu ?

— L'argent, le pouvoir. Tu sais bien, tout ce qui fait tourner le monde.

— Alors comme ça, le pouvoir te donne du plaisir ?

— Bien sûr.

— A t'entendre, on dirait que c'est une donnée.

— C'en est une. Il ne s'agit que de pouvoir.

— Pourquoi ?

— Allons, Dan. Regarde autour de toi. Ce sont ceux qui ont le plus de pouvoir qui gagnent.

— Ils gagnent quoi ? Quel est le trophée ?

Elle tourna les yeux vers l'entrée. De plus en plus de monde arrivait, et elle se devait d'aller seconder Marla.

— Parlons de trophée plus tard, tu veux bien ? Je ne peux pas laisser Marla seule à accueillir les invités.

— D'accord. Mais je ne vais pas oublier ma question.

— J'en suis certaine.

Ils atteignirent l'entrée, et Marla vint se placer près d'eux.

— Donna Karan est arrivée et aussi Ken Spade. Les limousines commencent à se bousculer.

— Super. Rends-moi service, va demander à Eddy de commencer à servir le champagne et les canapés. As-tu vu Owen ?

— Oui, il est arrivé il y a quelques instants. Il m'a demandé où tu étais.

— Je suis sûre qu'il pointera bientôt son nez.

Marla décocha un immense sourire à Dan, puis s'en fut dans la cuisine. Jessica se tourna vers la porte, par laquelle arrivaient Donald Trump et sa dernière conquête. L'heure suivante s'écoula en salutations, en sourires, en exclamations, mais elle resta toujours consciente de la présence de Dan à côté d'elle.

Quand tous les convives, ou presque, furent là, Dan l'entraîna au cœur de la foule. La musique était juste assez forte pour rendre difficile toute conversation sérieuse. Les boissons étaient servies à profusion par un personnel impeccable, et tout le monde semblait beaucoup s'amuser. Dan rêva qu'il en aille de même pour Jessica.

Elle avait manié les présentations avec aisance, mais il pouvait sentir la tension de ses muscles sous sa main. Owen était passé en coup de vent, mais il avait dû s'éloigner, poussé par la cohue. Maintenant qu'ils étaient en terrain découvert, il n'allait certainement pas manquer de bientôt pointer le nez.

Comme ils se trouvaient au milieu de la piste de danse, et qu'une chanson de Madonna venait de commencer, il empoigna Jessica par le bras et la fit pivoter vers lui.

— Dansons, cria-t-il.

Elle fit non de la tête et tenta de se dégager, mais en vain.

— Allez, viens danser. Ça te fera du bien.

Elle se rapprocha de lui et colla la bouche à son oreille.

— Je ne vois pas comment.

— Alors, je vais attendre les slows !

— Dan, j'ai du travail à faire.

— Quel travail ? Tout se déroule d'une manière impeccable.

— Je dois faire en sorte que ça continue.

— Ça continuera. Regarde autour de toi.

Jessica pivota lentement sur elle-même.

— Tu vois ? Ces gens savent faire la fête.

Si elle opina, elle n'en garda pas moins les yeux braqués vers un coin sombre. Il suivit son regard et découvrit Marla debout près de Shawn Foote. Le mannequin se tenait tout près, et lui parlait à l'oreille.

— Quelque chose ne va pas ?

— Non, au contraire. C'est juste que… Marla a un…

Le reste de la phrase se perdit dans le brouhaha.

— Pardon ?

Elle se mit sur la pointe des pieds et plaça ses mains en cornet autour de sa bouche.

— Marla a un énorme béguin pour lui. Je suis fière d'elle.

— Ah. Excellent.

La chanson terminée, une autre plus rapide prit sa place.

— Y a-t-il un endroit plus tranquille dans le coin ?

— Le seul que je connaisse, ce sont les toilettes.

— Quand même pas !

— Il y a aussi le toit.

— Super. Par où faut-il passer ?

— Par la cuisine, dit-elle. Au fond à gauche.

— Tu viens avec moi.

— Non, je ne peux pas.

— Mais si, tu peux, dit-il en lui prenant la main.

Il l'entraîna à travers la foule, ce qui prit un bon moment, mais ils finirent par quitter la piste. Dan réussit même à chiper une coupe de champagne en chemin.

La cuisine bourdonnait d'activité, mais il ne laissa pas à Jessica le temps de s'arrêter pour vérifier si tout était en ordre. En atteignant la sortie, elle s'arrêta net.

— Dan, je ne peux pas.

— Cinq minutes seulement. Le temps de prendre un peu l'air et de boire un verre. Ensuite, on redescend et on devient aussi sérieux que tu le voudras.

— Ce n'est pas la question.

Mais à cet instant, l'apparition d'Owen McCabe dans la cuisine résolut tous les problèmes. Le patron de Jessica les repéra tout de suite.

— Oh, oh, s'exclama Dan. Owen à 6 heures.

— Flûte.

— Viens avant qu'il ne soit trop près.

Jessica se laissa entraîner sur les marches métalliques qui menaient au toit. Une fois arrivés, ils découvrirent un univers nocturne magique. L'immeuble n'était pas assez haut pour avoir une vue dégagée, mais ce qu'ils découvrirent était déjà incroyable. L'Empire State Building, le Chrysler Building, tous deux entourés de lumières formant des points d'exclamation. Le fracas de la rue était à cette hauteur plus un murmure qu'un rugissement.

— Là, dit-il. On n'est pas mieux ici ?

— Pourtant, je devrais...

— ... être ici même, l'interrompit-il en lui tendant la coupe de champagne qu'il n'avait pas lâchée. Bois. Respire. Détends-toi. Et puis, il faut laisser à Owen le temps de s'interroger sur ce que nous faisons.

Jessica fixa la coupe de dom pérignon, puis regarda Dan.

— D'accord. Cinq minutes.

— C'est tout ? Bon sang, tu n'as pas de grandes espérances, n'est-ce pas ?

Elle parut déconcertée une seconde, puis lâcha :

— Tu crois qu'Owen pense qu'on est montés s'envoyer en l'air vite fait ?

— Eh bien, oui.

— Oh, c'est ridicule !

— Tu ne crois pas que c'est la première chose qu'il ferait s'il en avait l'occasion ?

— Owen ? dit-elle au bout d'un instant. Eh bien, si, je pense que tu as raison.

Il se rapprocha et lui effleura le bras.

— Tu ne crois pas que c'est ce que ferait chaque homme présent dans cette soirée s'il en avait l'occasion ?

— Oh, je t'en prie.

Il l'attira plus près de lui.

— Sais-tu seulement à quel point tu es désirable ?

— Owen n'est pas là.

— Et je lui en suis reconnaissant.

Elle finit par rencontrer son regard, dans lequel il ne cacha aucune de ses pensées. Et quand il la vit déglutir, il se pencha pour lui donner le baiser qui le hantait depuis le début de la soirée.

Il la prit dans ses bras afin de l'empêcher de fuir mais la manière dont Jessica réagit lui fit prendre conscience que ce n'était probablement pas nécessaire. Elle ouvrit ses lèvres, gémit, et il la pressa contre lui, pour qu'elle perçoive l'effet qu'elle avait sur lui. Le petit hoquet qu'elle laissa échapper lui apprit qu'elle avait compris.

— J'ai eu envie de faire cela dès que tu es sortie de ta chambre, ce soir, murmura-t-il.

Pour toute réponse, elle lui reprit les lèvres, ce qui lui convint parfaitement. Il fit courir ses mains sur son dos nu, ce qui acheva de l'enflammer.

Il la serra plus fort dans ses bras, toute idée de la réception envolée, ou de Manhattan à leurs pieds. Plus rien n'exista qu'eux deux.

Elle n'aurait qu'à dire un mot...

— Jessica.

La voix d'Owen brisa net la magie de l'instant. Elle recula dans un sursaut comme si elle venait de se brûler.

— Salut, Owen, articula Dan.

Il détestait de plus en plus l'individu.

— Jessica, reprit celui-ci en l'ignorant, je vous ai cherchée partout.

— Je faisais une pause, répondit-elle. Il y a un problème ?

— La chaîne *ET* veut une interview, et je me disais que vous voudriez y participer.

— Je croyais qu'ils voulaient parler à Sheere et à Shawn.

— Oui, mais je pense que vous devriez être présente.

— D'accord. Je descends tout de suite.

— Je vais vous conduire, dit Owen en jetant un regard hargneux à Dan. Ils ne sont pas dans le bâtiment.

Elle tendit la main vers celle de Dan et la prit.

— Allons-y, en ce cas.

Quand McCabe se rendit compte que Dan allait les accompagner, il prit une mine furibonde.

Le restant de la soirée fut uniquement consacré au travail, mais jamais Jessica ne laissa dériver ses pensées très loin de ce baiser.

7.

Ils quittèrent la réception à 2 h 45 du matin, le silence de la limousine leur paraissant presque assourdissant après le tintamarre du club. Jessica semblait épuisée mais satisfaite. D'après ce qu'il avait pu voir, la soirée avait été une réussite absolue, le succès qu'elle avait tant recherché.

Le baiser échangé sur le toit le hantait. Et il agitait en lui des émotions qu'il n'avait plus éprouvées depuis très, très longtemps.

Jessica se laissa aller contre le dossier et ferma les yeux. Alors, Dan la regarda, mémorisant le moindre trait de son visage. Il se demanda si ce qu'il avait éprouvé était simplement animal, et aussi quelle part y prenait son excitation d'avoir quelqu'un d'aussi brillant comme partenaire.

Sa dernière relation amoureuse remontait à un an et elle n'avait pas duré longtemps. Sa conquête était uniquement préoccupée de sa beauté et, passé les premières flammes, il lui avait vite préféré la compagnie de ses amis. C'était elle qui avait fini par rompre, et il n'avait fait qu'une brève rencontre depuis. Une vieille amie venue de l'Oregon, qui était repartie après trois jours de folie sensuelle.

Peut-être son ardeur vis-à-vis de Jessica était-elle due à cette longue abstinence, mais pourtant, il avait autant envie de parler avec elle que de lui faire l'amour. Cependant, il avait définitivement envie d'explorer tous ses fantasmes. En fait, il comptait bien poursuivre ce but dès qu'il le pourrait. Elle avait juré qu'elle lui dirait la vérité, et il allait la pousser aussi loin que possible. Afin qu'elle se livre comme aucune femme ne l'avait jamais fait, au moins pour lui.

Quels étaient ses fantasmes ? Ce n'était pas d'être attachée, ça au moins il le savait, mais ensuite ? Avait-elle toujours le contrôle de la situation dans ses rêves ? Ou se languissait-elle de quelque chose de plus romantique ? Seigneur, il fallait qu'il le sache.

Elle tourna la tête et entrouvrit les yeux.

— On est arrivés ?

— Pas encore, mais bientôt.

— Je ne sais même pas si j'aurai la force de quitter la voiture.

Il se rapprocha et glissa un bras sous sa tête.

— Tu pourras t'appuyer sur moi.

— Tu as été super ce soir, dit-elle en s'installant plus confortablement. Owen n'a été qu'une infime nuisance.

— J'en suis ravi.

— Désolée qu'on n'ait pas pu danser.

— Pas grave. On se rattrapera plus tard.

Elle ne répondit rien, et quand son souffle se fit égal, il se demanda si elle ne s'était pas endormie. Il devrait bientôt la réveiller, mais pour l'instant, il se contenta de la sentir contre lui. Elle était si tiède, si délicate. De ses doigts, il effleura son épaule, étonné de sentir la douceur et le soyeux de sa peau. Puis il baissa les yeux sur ses seins, bien trop appétissants.

Ce n'était pas raisonnable de s'exciter ainsi, pas ce soir. Elle avait besoin de dormir, et lui-même avait besoin de se remettre les idées en place.

A la vérité, il ne voulait pas hâter les choses. Il voulait d'abord compléter sa recherche et le faire avec elle. Il n'y avait pas d'urgence. Elle n'allait aller nulle part sans lui.

Elle s'éveilla quand la limousine s'immobilisa devant l'hôtel, et secoua la tête.

— On y est, dit-il, désolé que la promenade soit terminée.

Il descendit de voiture et lui tendit la main, qu'elle prit en souriant. Après avoir donné un pourboire au chauffeur, il lui mit un bras sur l'épaule et ils entrèrent dans l'hôtel.

Elle ne dit pas grand-chose en montant à la suite, et ce silence fut étonnamment confortable. Une fois à l'intérieur, elle attendit sans bouger qu'il allume quelques lampes puis, quand il revint près d'elle, elle l'attrapa par le revers, l'obligea à se pencher vers elle et l'embrassa très doucement sur les lèvres.

— Merci, dit-elle.

Il eut envie de plus, mais il se contenta de sourire quand elle le relâcha.

— File en premier à la salle de bains, lui dit-il. Tu as besoin de dormir.

— Je dois me lever à 7 heures.

— Ouille.

— Tu l'as dit. Mais ma seule obligation demain est une séance de photos. Ça ne devrait pas être trop difficile.

— Intéressant.

— Non. Mais tu pourras toujours reluquer les mannequins quand elles se changeront, si tu t'ennuies.

— Je ne m'ennuierai pas à ce point-là.

— C'est ça, répondit-elle. Je dors debout.

Et elle s'en fut vers sa chambre en vacillant.

Il la regarda s'enfermer, puis défit son nœud papillon, heureux que le canapé soit convertible, car lui aussi avait besoin d'une bonne nuit de repos. Puis il enleva sa veste et défit sa ceinture. Au lieu de jeter le tout sur un dossier en vue de les ranger demain, il les rangea sagement, en bon invité, dans la penderie.

Jessica ressortit de sa chambre en kimono et fila dans la salle de bains. Etait-elle nue sous le vêtement ? Il se l'imagina si bien que c'en fut douloureux. Et il ne rêva que de la rejoindre, de l'asseoir sur la table de toilette, de lui écarter les jambes et de se planter entre elles pour l'embrasser. De faire courir ses mains sur les petits seins délectables, de les caresser, de les exciter. De prendre son temps pour la goûter, jusqu'à ce qu'elle oublie le travail, le sommeil, jusqu'à ce qu'elle se torde contre lui.

Alors il tomberait à genoux et la caresserait de la langue et des lèvres si bien qu'elle le supplierait de la faire jouir jusqu'à ce qu'elle n'en puisse plus. Alors il se remettrait debout et, d'une longue poussée, l'emplirait de son sexe. Et la ferait jouir encore.

La porte de la salle de bains s'ouvrit et elle en sortit. Il pivota sur la gauche afin de cacher son érection évidente sous le pantalon de smoking. Car il ne voulait pas qu'elle s'imagine qu'il n'avait que le sexe en tête. Même si c'était précisément le cas.

— Elle est à toi, dit-elle avant de repartir vers sa chambre.

— Merci, répondit-il par-dessus son épaule, ne se détendant que lorsqu'elle fut partie.

Une fois dans la salle de bains, il tourna les robinets de la douche à fond, se débarrassa de ses derniers vêtements et entra dans la cabine. Il aurait dû n'ouvrir que l'eau froide, mais l'idée était quand même bien moins agréable que l'alternative acceptable.

Il attrapa la savonnette, se lava rapidement et commença à se caresser. Yeux fermés, il s'imagina non pas la suite de son fantasme précédent, mais un autre, dans le salon, où Jessica n'était pas en kimono mais portait cette époustouflante robe écarlate. Il la placerait devant la baie vitrée, Manhattan scintillant de tous ses feux face à eux, et il se placerait derrière elle. Assez près pour lui mordiller l'épaule, et le lobe de l'oreille. Il ferait lentement courir ses doigts sur son dos nu, avant de lentement descendre sa fermeture Eclair.

Son souffle se fit plus court alors que les images défilaient dans sa tête, plus érotiques que les précédentes. Mais il ne voulait pas que cela se termine trop vite. Pas encore. Il y avait encore beaucoup à voir.

Jessica étendit les jambes et fit courir une main sur son ventre alors que les images qu'elle avait en tête devenaient brûlantes. Elle avait essayé en vain de dormir, mais n'y était pas arrivée. Pas alors que Dan était de l'autre côté de la porte, pas alors qu'elle se souvenait trop bien de son baiser.

Seigneur, que lui avait-il fait ? C'était fou. Elle le connaissait à peine, et elle n'était pas une de ces femmes qui enlèvent leur culotte dès qu'elles sont en présence d'un bel homme. D'accord, Dan était magnifique. Il était même incroyablement beau, et il savait tellement bien embrasser.

Ses doigts trouvèrent le chemin de sa féminité, et elle trouva le centre de son plaisir. Elle avait appris des années plus tôt à prendre soin de son propre désir et ne voyait rien de mal à cela. Ce soir, en revanche, et peut-être pour la première fois, elle comprit pourquoi on accolait l'adjectif *solitaire* à ces caresses. Comme elle aurait aimé sentir le corps de Dan près du sien ! Voir ce corps, le toucher, et apprendre ce qu'il ferait du sien.

La créativité de Dan, elle en était certaine, ne s'appliquait pas uniquement à l'informatique. Non, il devait être du genre à prendre son temps. A user de tout ce qui était à sa portée pour donner du plaisir à sa maîtresse. Son baiser lui avait tant appris sur lui… Trop appris, car maintenant, elle en voulait plus.

Tout en accélérant son tempo, elle se focalisa sur l'image mentale de Dan, pénétrant dans sa chambre, nu, et en érection. Elle voyait son sexe énorme et dur. Si dur. Il rejetait d'un geste les couvertures et la prenait sur le fait. Grimpant sur le lit, il écartait sa main sans ménagement. Lui disant de se détendre, que c'était lui qui allait la conduire à l'orgasme.

Ses seins durcirent alors qu'elle les imaginait tour à tour dans sa bouche, entre ses lèvres, alors que ses mains exploraient son corps…

Oh, Seigneur, il fallait qu'elle ralentisse ! Sinon elle allait…

… jouir. Il n'était pas encore prêt, mais bon sang, cette image dans sa tête ! Il la prenait contre la baie vitrée si froide qu'elle avait crié quand son dos nu était entré en contact avec le verre. De ses mains, il la soutenait sous les fesses, juste à la bonne hauteur, il l'embrassait passionnément et la pénétrait de même. Vite, plus vite…

Il s'était retenu jusqu'à présent, mais maintenant ses coups de reins se faisaient pressants, sauvages, irrépressibles.

C'était trop tard. Il ne pourrait plus se retenir une seconde de plus. Il agita les hanches, frénétique et… et…

— Jessica !

— Oh, Seigneur, Dan !

Jessica enfouit sa tête dans l'oreiller. Elle avait crié, fort, et elle se demanda si elle l'avait réveillé… Ce serait un véritable désastre si c'était le cas. Encore frissonnante, elle resserra les jambes et tenta de retrouver un souffle égal.

La porte était épaisse. Peut-être n'avait-il rien entendu. Peut-être avait-il pensé que c'était la télé. Ou autre chose. Elle ne pouvait s'en préoccuper maintenant, alors qu'il était si tard et qu'elle devait se lever si tôt.

Elle fit gonfler son oreiller, tira la couverture et ferma les yeux. Et revit immédiatement Dan. Nu. En érection.

Ça n'allait pas. Pas du tout. Elle tendit la main, attrapa la télécommande, alluma la télévision, chercha la chaîne cinéma et s'arrêta sur un vieux film en noir et blanc. Elle baissa le son au maximum. Cela devrait suffire pour lui changer les idées.

Du moins elle l'espérait.

8.

La sonnerie désagréable du réveil sortit Jessica du sommeil après ce qui lui parut à peine dix minutes de repos. Elle avait passé une nuit épouvantable, peuplée de rêves érotiques ayant tous Dan Crawford pour vedette.

La journée s'annonçait calme, et elle était sûre qu'il allait commencer à la bombarder de questions, ce qui eut pour résultat de la rendre nerveuse. Ils étaient déjà trop intimes, et lui répondre en toute honnêteté n'allait pas être évident. Peut-être ne lui demanderait-il rien qui puisse trahir ce qu'elle éprouvait pour lui. Quoique, à part le désir de coucher avec lui, elle aurait bien été incapable de définir la nature de ce qu'elle ressentait.

De toute façon, cela ne devait pas avoir d'importance. Elle avait tracé les différentes étapes de sa carrière et rien ne l'en détournerait, pas même un homme aussi fascinant que Dan.

Tout en rassemblant ses vêtements, elle songea à son amie Carrie Elward qui partageait sa chambre à l'université. Brillante élève, elle était sortie première de sa promotion, et avait accepté avant même la fin de ses études — parmi plusieurs autres offres aussi alléchantes — un emploi très intéressant chez IBM. Elle s'y était distinguée dès la première année en faisant économiser plusieurs millions de dollars à la compagnie grâce à un nouveau programme qu'elle avait développé. Son avenir semblait pavé d'or. Puis elle avait rencontré Alex, un magnifique charmeur canadien, qui dirigeait une petite société d'hébergement sur Internet. Carrie avait alors quitté IBM pour aider Alex à faire tourner son entreprise. Qui avait déposé le bilan peu après, et elle en avait été réduite à accepter un poste relativement mal payé chez American Standard.

Cette leçon, Jessica l'avait bien retenue. Les hommes ne semblaient pas avoir les mêmes difficultés pour marier l'amour et leur carrière. Mais si elle voulait avoir le genre de sécurité et de pouvoir dont elle rêvait, il était hors de question qu'elle s'implique dans une quelconque relation. Plus tard. Mais pas avant quelques années. Une fois qu'elle serait devenue vice-présidente d'une compagnie prospère, elle pourrait se permettre de se laisser aller, mais avant cela, ce serait pure folie que de laisser ses émotions ruiner son avenir.

Peut-être, avec un peu de chance, Dan serait encore disponible... même si c'était peu probable ! Elle était déjà étonnée qu'il ne soit pas encore marié.

Ça faisait bizarre d'aider un homme qu'elle trouvait aussi attirant à se découvrir les talents nécessaires pour trouver une autre femme. Mais elle avait promis de l'aider, et elle était une femme de parole.

Sur un soupir, elle quitta la sécurité de sa chambre et s'apprêta à traverser le salon pour atteindre la salle de bains. Elle croisa le regard de Dan qui portait une élégante chemise grise sur un jean. Elle se sentit rougir, ce qui l'exaspéra, mais qui en disait beaucoup sur sa nuit agitée.

— J'espère que ça te conviendra, dit-il.

Elle suivit son regard et constata que la table, dressée pour le petit déjeuner, était couverte de plats. Tous sous cloche, aussi ne put-elle voir ce qu'il avait commandé, mais elle aperçut du jus d'orange, du café, des toasts et un flacon de sirop d'érable.

— Qu'est-ce que c'est ?

— J'ai pensé qu'on pourrait s'offrir un solide petit déjeuner avant cette séance de photos.

Elle se dirigea vers la table, touchée par l'attention.

— Miam.

— Je n'étais pas certain de ce que tu aimes, alors j'ai pris un peu de tout.

Elle souleva une cloche. Des œuf brouillés. Sous une autre cloche, elle trouva des pancakes. Elle posa ses affaires dans le fauteuil et s'installa à table, affamée.

— C'est très gentil.

— Je t'en prie.

Il s'assit face à elle et entreprit de se préparer une assiette. Des œufs Benedict, du bacon grillé croquant à point, des pommes de terre sautées. Elle prit des œufs brouillés, une saucisse et le reste des pommes de terre. Ils mangèrent en silence, burent leur jus d'orange et se préparèrent un café. Alors, elle nota son silence, et le surprit alors qu'il la dévisageait avec une expression indéfinissable sur le visage.

— Quoi ?

— Rien, dit-il en attaquant de nouveau son assiette.

— Allez. Je sais que tu veux me poser des questions. Vas-y. Je t'écoute.

Il avala ce qu'il avait dans la bouche et contempla sa fourchette un bon moment. Quand il la regarda, elle en eut le ventre serré.

— Pourquoi ne veux-tu par entretenir de relation suivie avec un homme ?

Elle se détendit. Facile. Les quelques minutes suivantes, elle lui exposa ses raisons telles qu'elles lui étaient venues peu de temps auparavant. Il l'écouta attentivement, sans l'interrompre, tout en mangeant. Après avoir terminé, elle but un peu de café et se demanda s'il serait raisonnable de prendre des pancakes.

— Je connais des femmes qui font une belle carrière et qui sont mariées.

— Je suis sûre qu'il y en a, quoique je n'en connaisse aucune. Selon le mythe, les femmes peuvent tout avoir, mais c'est faux. Quelqu'un doit céder, et je refuse de devoir choisir entre un homme et ma carrière.

— Loin de moi l'idée de te le reprocher, mais je ne pense pas que le choix soit difficile entre une carrière et l'amour. Je crois que tu peux avoir les deux. En fait, je pense qu'avec quelqu'un dans ta vie, quelqu'un qui t'aime et qui aime ce que tu fais, ta carrière se transformerait en quelque chose de plus significatif. Et, à la fin de la journée, tu ne serais pas seule pour savourer tes victoires. Ou pleurer tes défaites.

— Etre seule ne me dérange pas. Et, devrais-je ajouter, pour un homme de ton âge, tu as une conception très idéaliste des relations.

— Crois-moi, j'y ai beaucoup réfléchi. Mais tu as raison, je suis idéaliste. J'ai vécu toute ma vie avec deux personnes qui s'aimaient et se respectaient. Et les avoir vues m'a rendu incapable de me contenter de moins.

— Je suis désolée pour toi, dit-elle en posant sa tasse.

— Pourquoi ? s'étonna-t-il.

— Parce que ce que tu as vu chez tes parents est l'exception à la règle. Je ne connais pas un seul couple qui leur ressemble.

— Je ne l'ai pas seulement vu chez mes parents, mais aussi chez certains de leurs amis.

— Tu as eu de la chance.

— Alors, tu penses que je devrais renoncer ? Choisir quelqu'un de médiocre ?

— Non, bien sûr. Mais peut-être réévaluer tes attentes.

— Comment ? Et toi ? Quelles sont les tiennes ?

— Je ne sais pas trop que répondre. Je n'y ai jamais véritablement réfléchi.

— Sérieusement ?

— Non. Je me suis plutôt concentrée sur ce que je fais.

— Mais tu as certainement songé à te marier. A fonder une famille.

— Vaguement, mais sans plus.

— A quoi ressemble ta famille ?

— Pas à la tienne, ça c'est sûr.

— Mais encore ?

— Il faut encore que je me douche et que je m'habille, dit-elle en regardant sa montre.

— On ne sera pas en retard.

Il avait sans doute raison, même si elle ne trouvait pas l'instant approprié pour parler de sa famille.

— Mes parents se sont mariés jeunes après que ma mère tomba enceinte au lycée. Elle a quand même eu son baccalauréat, mais tout juste. Mon père a fait deux années d'études supérieures, mais n'a jamais vécu la vie dont il avait rêvé. Il voulait devenir chimiste, mais a fini comme représentant pour une compagnie pharmaceutique. Ma mère a eu deux autres enfants, des filles, et puis papa et elle ont divorcé. Elle a travaillé des années durant comme secrétaire juridique, un boulot qu'elle détestait. La plupart des gens avec qui j'ai grandi avaient un passé similaire. Aucune grande passion amoureuse qui n'ait survécu au cap fatidique des sept ans.

— Je comprends mieux pourquoi tu es focalisée sur ta carrière.

— Mais cela ne veut pas dire que je ne suis pas heureuse.

— L'es-tu ?

— Oui. Je tire une immense fierté de mes réalisations. J'ai déjà un press-book bien garni, et quand j'aurai réussi, j'envisage d'être très à l'aise.

Il se laissa aller en arrière sur sa chaise, ce qui la rendit consciente de sa propre posture : le dos raide, jambes et bras croisés. Elle fit un effort pour se détendre, mais ne réussit qu'à prendre sa tasse de café.

— Tout ça toute seule, exact ? s'enquit-il.

— Exact. J'ai appris très jeune qu'aucun chevalier en armure scintillante n'attend de courir à ma rescousse. Si je veux la sécurité, je dois la gagner moi-même.

— Sage point de vue.

— Tu es d'accord avec moi ?

— Avec la théorie du chevalier ? Absolument. A mon avis, il n'est bon pour personne d'attendre d'être secouru. Cela met trop de pression sur le sauveteur. Et cela ne peut mener qu'à la déception.

— Mais n'est-ce pas ce que tu rêves de faire ?

— Non, pas du tout. Je rêve que la femme que je trouverai ait découvert ce qui la rend heureuse et entière. Je partagerai ça avec elle, tout comme j'espère qu'elle partagera ma vie.

— Ne lis-tu jamais ? Toutes les statistiques sont là pour prouver que tu rêves debout.

— Seigneur, j'espère que non !

— Désolée, je n'avais pas l'intention de doucher ton enthousiasme. J'ai une expérience franchement différente de la tienne… mais tu vas probablement trouver ce que tu cherches.

— Je vais essayer.

— Que pensent tes parents de ton projet de recherche ?

— Mon père est mort, ma mère pense que je suis cinglé. Je suis sûr que papa aurait partagé le sentiment de maman, mais ils ne m'auraient découragé ni l'un ni l'autre. Tous deux croient que la vie s'apprend par l'expérience et l'erreur.

— Jusqu'ici, tu n'as pas l'air d'avoir échoué.

— Je ne me plains pas, dit-il en souriant. Je suis aussi heureux qu'on peut espérer l'être.

— Dis, il faut vraiment que je file sous la douche. On doit être à la prise de vue dans moins d'une demi-heure.

— Tu veux encore quelque chose à manger ?

— Oui, mais je ferais mieux de dire non. C'était super. Merci.

Il sourit et but un peu de café. Elle rassembla ses affaires et s'en fut vers la salle de bains, en se demandant si elle partait à cause de l'heure ou de la conversation.

Une fois nue, ses pensées revinrent à la nuit précédente, à la force de son désir de lui. Le petit déjeuner avait été fantastique, mais pas empreint du même désir, même si elle le trouvait toujours à tomber. Non, cela avait été différent, et elle n'avait encore jamais expérimenté cette sorte d'équilibre. Le feu perçu hier soir était toujours là, mais canalisé, en sommeil, et elle avait vraiment apprécié leur conversation.

« Va comprendre », songea-t-elle en ouvrant les robinets.

Dan se dénicha un fauteuil et s'installa pour une longue journée. Ils avaient établi leur campement dans une zone relativement calme de Grand Central Station isolée du public par des cordons. Le photographe était une pointure ayant déjà un certain nombre de campagnes publicitaires à son actif, et les mannequins comptaient parmi les meilleurs, y compris Sheere O'Brien et Shawn Foote.

C'était intéressant de regarder Marla couver Shawn du regard. Elle en pinçait manifestement pour lui, et il semblait lui rendre son intérêt. A sa grande surprise, Dan se faisait du souci pour elle. Même s'il était partisan de goûter tout ce que la vie avait à offrir, il ne voulait pas voir la jeune femme souffrir. Et même s'il ne connaissait pas Shawn, il avait connu pas mal de mannequins et d'acteurs, qui n'avaient pas été les gens les plus brillants ou les plus gentils qu'il ait fréquentés. Principalement obsédés par leur propre personne, ils n'avaient pas de place pour quelqu'un d'autre dans leur vie. Mais bon, il pouvait accorder à Shawn le bénéfice du doute.

Pour l'instant.

Son regard chercha Jessica, qui discutait avec le photographe. Owen n'était pas loin mais, jusqu'à présent, il s'était tenu à carreau. Jessica planifiait, arrangeait, faisait se concrétiser les choses, et il aimait bien la regarder travailler. Elle portait sa confiance en soi comme un vieux pull confortable, et ça ne l'en rendait que plus belle. Aujourd'hui elle était vêtue d'un pantalon kaki, d'un débardeur crème et d'une veste de la même couleur. Ces vêtements, tout ce qu'il y avait de plus simple, soulignaient le roux de sa chevelure et le nacré de sa peau.

Il avait en permanence envie de la toucher. En allant chercher un taxi, il lui avait posé la main sur la nuque, et elle avait rejeté la tête d'un coup sec sur le côté. Mais c'était le rouge qui lui était monté aux joues qui était le plus intéressant.

Il y avait définitivement quelque chose entre eux. L'attirance n'était pas unilatérale. Il le voyait à plein de petits détails, la manière dont elle tripotait ses cheveux, les regards qu'elle lui lançait à la dérobée, ses rougeurs. Ce soir, si les clichés se terminaient à une heure décente, ils auraient la soirée libre. Il comptait l'emmener dîner et orienter la conversation. Soit jouer l'intellectuel pur, soit se permettre des allusions pesantes. Les deux étaient parfaitement envisageables. Bien sûr, ce qu'il devait faire, c'était s'en tenir à son plan initial. Mais ce plan n'avait pas pris en compte la puissance de son désir pour elle.

— Excusez-moi ?

Surpris, il leva les yeux vers la voix. C'était celle de Sheere, debout près de lui, vêtue d'une immense chemise blanche d'homme sous laquelle on apercevait un cycliste. Elle avait des mules aux pieds, idéales pour se changer rapidement.

Elle avait les cheveux relevés en chignon, un maquillage épais mais qui ne masquait nullement sa beauté naturelle, et arborait un sourire signifiant qu'elle ne cherchait pas uniquement une chaise disponible. Il y avait de l'invitation dans l'air, ou tout du moins une question.

Il se leva et lui présenta une chaise près de lui.

— Je vous en prie.

— Je m'appelle Sheere, dit-elle en s'asseyant, un sourire plus grand encore sur le visage.

— Dan Crawford.

— Je vous ai vu hier soir, mais je n'ai pas eu une minute pour venir me présenter.

— J'en suis navré, mais ravi que vous ayez un peu de temps aujourd'hui.

— Bon sang, j'ai tout le temps du monde. J'ai quatre changements de costumes, et personne ne peut décider par lequel commencer. C'est toujours la même chanson. Ils devraient tout simplement la fermer et laisser la poulette mener la barque.

— Vous voulez parler de Jessica ?

— Ouais. Au moins elle a un plan de travail. Mais tout le monde veut être le patron.

— Je suppose.

— C'est quoi, votre rôle, dans tout ça ?

Il fit un signe de tête à Jessica, qui s'était retournée pour les regarder.

— Je suis avec la poulette.

— Oh, dit-elle, avant d'étudier longuement Jessica. C'est sérieux, tous les deux ?

— Ouais, pas mal sérieux.

Elle se retourna vers lui.

— Vous avez d'autres liaisons ?

— Merci, mais non, répondit-il en riant. Je n'en ai pas.

Elle secoua la tête, puis examina ses ongles.

— Dommage.

Il rit encore, mais avait déjà reporté son attention sur Jessica. Elle n'avait pas l'air ravie. A cet instant, Owen arriva derrière elle, et Dan vit sa main avancer vers la taille de Jessica.

La jeune femme recula. Dan se leva et fonça droit sur eux, espérant que son sourire était naturel. Tout ce qu'il avait à faire, c'était marquer son territoire pour faire reculer Owen. L'intensité de son animosité croissante pour ce minable ne cessa d'ailleurs pas de l'étonner. Il refusait qu'il touche Jessica. Point à la ligne.

— Bonjour, Owen.

Et l'expression qu'arbora alors Owen en dit long sur son déplaisir.

— Salut.

— Chérie, dit Dan en marchant droit sur Jessica, tu as quelque chose juste au coin de la bouche.

Puis il la toucha à cet endroit précis, n'enleva rien mais fit en sorte qu'Owen comprenne à demi mot le message.

Et il parut le faire. La main posée une seconde plus tôt sur la taille de Jessica pendait maintenant à son côté. Sa moue furibonde rappela à Dan un gamin qui vivait dans son immeuble. Gâté à outrance, et n'ayant pas peur de le montrer.

Dan se pencha et donna un baiser papillon à Jessica sur les lèvres, censé être juste pour la galerie, mais à l'instant où leurs lèvres entrèrent en contact, il oublia tout, y compris Owen. Cela ne dura pas, mais ce baiser eut des répercussions. Tout son corps réagit et réclama son attention. Et pas seulement la partie inférieure. Cela avait été comme toucher un fil électrique dénudé.

Eh bien, ça répondait à sa question sur l'approche qu'il comptait mener ce soir au dîner avec Jessica. Il allait sortir l'artillerie lourde.

Le sexe ne ruinerait pas son projet. Il le changerait. C'était tout. Et ça, il pouvait s'en accommoder.

9.

Les photos terminées, Jessica laissa échapper un énorme soupir, et toute la tension accumulée dans la journée. Aucun travail ne l'attendait avant le lendemain après-midi, où elle devrait se rendre au Rainbow Room vérifier que l'organisateur de la réception avait compris ce qu'on attendait de lui. Une soirée dessert et jazz qui devait commencer à 21 heures avec pour invités encore plus de célébrités, de mannequins et de médias. Debout sous le porche, elle attendit que Dan hèle un taxi. Puis, quand il lui ouvrit la portière, elle fendit la foule omniprésente et grimpa dans la voiture.

— A l'hôtel d'abord, ou au restaurant ? lui demanda Dan une fois installé près d'elle.

Si elle n'avait pas encore songé à dîner, elle se découvrit affamée maintenant qu'il en parlait.

— J'aimerais bien me rafraîchir et me changer, dit-elle en regardant sa montre. Il est 18 heures passées. Peut-être pourrons-nous trouver quelque chose aux alentours de 19 heures ?

— Bien sûr, dit-il avant de donner au chauffeur l'adresse de l'hôtel.

Il sortit son portable et composa un numéro.

— Allô, Andy ! Dan Crawford à l'appareil. Pourrais-tu me dénicher une table pour deux à 19 heures ? Ça marche ?

Super. Eh bien, à tout à l'heure, conclut-il avant de raccrocher, tout sourire.

— Où ça ? voulut-elle savoir.

— Tu verras.

— Tu ne vas pas m'obliger à m'habiller, j'espère ?

— Je n'oserais pas.

— Alors, ça va.

Elle se laissa aller sur le siège pour le trajet de retour ralenti par la circulation, dense à cette heure-ci.

Bientôt, le fracas de la rue s'assourdit alors que sa fatigue prenait le dessus. Elle réagit à peine quand Dan se rapprocha d'elle et glissa un bras sur ses épaules, et il lui sembla la chose la plus naturelle au monde que d'appuyer sa tête sur ce bras, de sentir son souffle tiède sur sa tempe, le léger frôlement de ses doigts sur son bras.

Il s'était conduit en escorte idéale, celle dont elle avait rêvé au départ. Il avait su maintenir Owen à distance, même si celui-ci ne manquait pas une occasion d'essayer de l'attirer à l'écart et de la bombarder de questions sur leur relation. Questions auxquelles il avait presque été trop facile de répondre, et en cette fin de journée elle pensait avoir fait des progrès notables. La seule chose qui l'avait dérangée avait été sa propre réaction face aux mannequins. Non pas quand elles travaillaient, mais quand elles rôdaient autour de Dan. Toutes s'étaient, à un moment ou à un autre, assises près de lui, avaient parlé avec lui et ri de ses plaisanteries. Et il avait paru prodigieusement s'amuser, même si cela n'aurait dû avoir aucune importance. Mais cela en avait. Elle s'était surprise plus d'une fois à aller vers lui et à le toucher comme il le faisait avec elle quand Owen la collait.

Après cette semaine, elle ne le verrait plus, donc il pouvait bien filer rancard à n'importe quelle fille, et qui l'en blâmerait ? Ces femmes étaient parmi les plus belles qui existaient. Qui pourrait lui en vouloir de profiter de l'occasion ? Chacune paraissait plus pressante que la précédente.

Finalement, elle avait demandé à Marla d'aller s'asseoir avec lui, même si cette requête était purement égoïste, puisque son assistante avait la tête pleine de Shawn. Il paraissait un type bien et, d'après ce qu'elle avait entendu de leurs conversations, il semblait vraiment se préoccuper de Marla.

Elle espérait juste que son assistante ne bâtirait pas trop de châteaux en Espagne. C'était un travail pour Shawn comme c'en était un pour Dan, et quand il serait terminé, ils reprendraient tous deux le cours de leur vie sans même une pensée pour les deux jeunes femmes avec qui ils avaient travaillé.

Mais elle avait eu beau le répéter à Marla, rien n'y avait fait. Son assistante était amoureuse cul par-dessus tête. C'est vrai que Shawn était particulièrement beau, et que n'importe quelle femme eût été flattée d'être l'objet de ses attentions, mais Marla était un peu trop douce et innocente pour son propre bien, et elle allait certainement le payer cher.

Mais même le souci qu'elle se faisait pour Marla ne paraissait plus avoir d'importance alors qu'elle était nichée au creux du bras de Dan. Il sentait merveilleusement bon le propre mais avec une note épicée. Son haleine évoquait la cannelle, et cela la fit repenser au baiser papillon qu'il lui avait donné dans l'après-midi.

Cela avait été à peine un baiser, autant dire rien comparé au tremblement de terre de la veille, mais il l'avait remuée, et son cœur avait longuement tambouriné dans sa poitrine par la suite. Cette attirance pour lui semblait bien ne pas vouloir céder le pas. En fait, elle croissait chaque jour, devenait plus intense, plus insistante. Il allait certainement se passer quelque chose. Bientôt.

Elle poussa un soupir, et il la serra plus fort contre lui. C'était comme si c'était sa place, comme si elle était en sécurité. Un homme lui avait-il déjà donné cette impression ?

Pas qu'elle se souvienne.

Peut-être ne serait-il pas une mauvaise chose que de laisser la nature suivre son cours. Contrairement à Marla, elle était réaliste, et rien de ce qui se passerait entre eux n'aurait un effet durable. Elle ne le permettrait pas. Mais au point où ils en étaient, ne pas faire l'amour avec lui serait probablement source de plus de stress et de regret que si elle se donnait l'autorisation d'écouter son corps.

Tout comme Dan l'avait prévu, une longue file d'attente s'étirait devant le restaurant bondé, mais Andy, maître d'hôtel, était une vieille amie et ne l'avait jamais fait attendre. Quand le taxi les y déposa, il prit la main de Jessica et l'emmena directement vers l'entrée. Andy les y attendait, superbe dans sa robe noire.

— Dan !

— Salut, Andy.

Ils s'embrassèrent à la mode européenne en y ajoutant une bonne vieille étreinte américaine pour faire bonne mesure.

— C'est toujours un plaisir de te revoir, dit-elle. Il faut que tu essayes le saumon ce soir. C'est une nouvelle recette, et c'est un délice.

— Promis.

Il fit les présentations, puis Andy les emmena dans un coin tranquille où un box les attendait. C'était parfait.

Une fois installés, un verre devant eux, Jessica se tourna vers lui.

— Ex-maîtresse ?

— Qui, Andy ? Non, vieille amie, répondit-il. En fait, elle a été l'amante de mon ex-colocataire. Ils ont rompu il y a un an et je suis devenu plus proche d'elle que Gordon.

— Alors c'est comme ça que tu peux faire une réservation de dernière minute chez Biggalow's ? La dernière fois que j'en ai entendu parler, il fallait être au moins une star de première catégorie pour obtenir ce genre de faveur.

— C'est juste une question de chance. Je n'ai pas énormément de relations dans cette ville, et la plupart sont d'illustres inconnus, mais quelques-unes m'ont fait gagner des avantages intéressants.

— Ce soir, par exemple.

Il se contenta de sourire. Elle était si jolie dans ce pantalon et ce chemisier vert. A l'image de ce restaurant, elle n'avait rien de chic en façade, mais recelait des merveilles. Aujourd'hui, elle s'était débrouillée comme une pro, et même s'il n'y connaissait rien en photo de mode, il était persuadé que la journée était une réussite.

— Vas-tu essayer le saumon ?

— Si Andy le recommande, alors tu peux parier que c'est ce qu'il y a de meilleur.

— Dans ce cas, c'est ce que je vais prendre, dit-elle en refermant son menu.

La serveuse vint prendre leur commande. Dan but une gorgée de scotch et parcourut l'assistance des yeux. Beaucoup de célébrités, dont celles qui étaient là la veille à la fête organisée par Jessica. Seigneur, que New York était petit ! Surtout quand on en arrivait aux endroits branchés comme Biggalow's.

— Je suis étonnée, dit Jessica.

— A quel sujet ?

— J'aurais pensé que tu m'aurais déjà posé au moins une question embarrassante.

— Je vais le faire. J'essaye juste de décider jusqu'à quel point je vais t'embarrasser. Je veux dire, on n'a pas encore entamé les hors-d'œuvre…

— Parce que ça empire au fur et à mesure du repas ?

— Empire ? Je n'essaye pas de te torturer.

— Exact, dit-elle, méfiante. M'interroger sur mes secrets les plus enfouis et les plus sombres est juste une manière agréable de passer le temps.

— En tout cas, vaut mieux ça que parler pour ne rien dire.

— Je n'en sais rien. On pourrait parler du temps.

— Barbant.

— Du sport ?

— Si je ne participe pas, je m'en fous.

— Pas même le base-ball ?

— Rasant.

— D'accord. Et les femmes de ta vie ? Intéressant, non ?

— Aussi passionnant que le golf, je dirais.

— J'en doute.

— Tu aurais tort. Mais maintenant que tu en parles, qu'en est-il de ta vie amoureuse ?

— Quelle vie amoureuse ?

— Rien ? Jamais ?

— Des phases éphémères. Rien de remarquable.

— Dur à croire.

— Intentionnel. Tu sais…

— Ta carrière avant tout.

— Exact.

— Mais ça ne veut pas dire que tu as cessé d'avoir des besoins. Des pensées…

Il se pencha vers elle et lui chuchota au creux de l'oreille :

— Des fantasmes aussi.

— Ah, nous y voilà. C'est le début des questions embarrassantes.

Elle poussa un soupir, comme si c'était trop banal, mais à la lueur de la bougie il vit pointer un peu de rouge sur ses joues.

— Que veux-tu savoir ? demanda-t-elle.

— Commençons par tes besoins.

— Ce qui veut dire ?

— Sont-ils fréquents ? Est-ce qu'ils sont provoqués par quelque chose que tu vois ou quelqu'un que tu rencontres ?

— Dis donc, je crois que je vais commencer à faire moi-même des recherches. Et à te poser, moi aussi, des questions.

— Vas-y. Mais seulement après m'avoir répondu.

Elle but une gorgée de son whisky et inspecta la salle du regard.

— Ils vont et ils viennent, et je n'ai jamais vraiment songé à ce qui peut les provoquer. Ils me paraissent être cycliques, en effet, mais certains mois sont pires que d'autres. Et, oui, parfois c'est un film que je vois ou une personne que je rencontre qui jouera les catalyseurs, mais ce n'est rien qui ne puisse être contrôlé.

— Que fais-tu en ces cas-là ?

— Oh, Seigneur !

— Allez, Jessica. Ce n'est que de la biologie.

— Disséquer une grenouille est de la biologie. Ça c'est de la torture.

— Prends un autre verre, et puis lance-toi.

— Très bien, très bien, dit-elle avant de s'éclaircir la gorge. Je me masturbe.

— Excellent.

— Je ne savais pas que j'allais être notée !

— Tu ne l'es pas. C'est juste que je pensais bien que tu voudrais tout diriger dans ce domaine également.

— Que veux-tu dire ?

— Que tu es une nana fichtrement organisée, et que tu as fait des choix difficiles. Je n'aurais pas pu imaginer que tu gères ta sexualité d'une manière différente.

— Merci, enfin, peut-être que je ne devrais pas…

— C'était un compliment.

— Ma libido te remercie également.

Il déplaça sa jambe afin que leurs cuisses se touchent. Elle se redressa sur sa banquette mais ne se déroba pas.

— Te sers-tu d'un vibromasseur ?

— Doux Jésus, Dan. Nous sommes en public et tes questions…

— Ne commence pas. Tu savais dans quoi tu t'engageais.

— Faux, mais je vais te répondre, et uniquement parce que je t'ai donné ma parole.

— Super. Alors, vibromasseur ? Main ? Pommeau de douche ?

— Oui, oui, et parfois.

Il hocha la tête et tenta de prendre la mine du chercheur professionnel, et non celle d'un homme pourvu d'une érection à faire basculer la table.

— Une préférence ?

— Cela dépend des circonstances. Quand je veux juste me détendre et dormir, je me sers de mon PAP.

— Ton Petit-Ami-à-Piles ?

— Oui.

— Et quand tu veux plus de sensualité ? Que cela soit moins automatique ?

— J'utilise ma main.

— C'est de ces orgasmes-là que je veux qu'on parle.

— Bien évidemment.

Il se pencha plus près, les coudes sur la table.

— Je veux que tu me parles de tes fantasmes. Ceux qui te tiennent éveillée pendant des heures.

— Je ne sais pas, Dan. Oui, j'ai promis d'être franche, mais je ne sais pas si je peux être aussi franche. C'est très personnel.

— C'est justement l'intérêt.

— Pourtant…

L'arrivée des hors-d'œuvre accorda un répit à Jessica, mais elle comprit que Dan n'allait pas la lâcher comme ça.

De son côté, Dan avait noté que Jessica était mal à l'aise, ça se voyait, mais la conversation, si elle était bien menée, pouvait conduire à des polissonneries bien plus délectables. Et il avait bien l'intention de la titiller jusqu'au bout.

Ils mangèrent quelque temps en silence, mais quand elle eut mangé son deuxième morceau de pain et eut laissé quelques feuilles de salade sur son assiette, il se dit qu'il était temps.

— Tu veux un autre verre ?

— Oui, répondit-elle trop vite.

Il lui versa du vin, attendit qu'on ait enlevé les assiettes, puis se tourna vers elle.

— Vas-y, dit-il. Parle-moi de tes fantasmes les plus courants. Ceux qui te viennent le plus souvent.

— J'ai peur que tu ne me trouves terriblement banale.

— Ne t'en fais pas. Dis-moi juste la vérité.

— D'accord. Mais si je suis victime d'un accès de combustion spontanée, tu iras t'expliquer avec les pompiers.

— Marché conclu.

Il se redressa et fit en sorte qu'elle ne puisse voir sa braguette de là où elle était. Pas la peine qu'elle sache les réactions qu'elle provoquait. Pas encore.

— Je crois que le plus fréquent est celui où je me trouve seule dans un chalet, au milieu d'une forêt. Il fait sombre et un vent terrible souffle dehors. Un grand feu brûle dans la cheminée.

— Que portes-tu ?

— Une robe de chambre.

— Le kimono ?

Elle le fixa, comme s'il s'approchait d'une limite imaginaire. Il se redressa encore un peu.

— Parfois. Parfois c'est un autre vêtement.

— O.K. Désolé de t'avoir interrompue.

— C'est toi qui l'as demandé.

— Je sais. Je vais essayer de garder le silence.

— D'accord. Où en étais-je ?

— Le chalet. Seule. Robe de chambre.

Elle fixa son verre, concentrée.

— Il fait bon, et je suis ravie de ne pas être dehors dans le froid. Je suis allongée sur un grand tapis de fourrure devant le feu, et je suis en quelque sorte fascinée par les flammes. Avant même de m'en rendre compte, je commence à me caresser.

— Comment ?

Elle le fusilla du regard, puis contempla de nouveau son verre.

— Lentement, sensuellement. J'ai tout le temps. Les crépitements du feu me rendent somnolente, mais ne m'endorment pas. Je descends la main jusqu'à ce qu'elle trouve…

Hochement de tête.

— … Et puis je ferme les yeux, et ça se rapproche…

Il retint son souffle, rêvant qu'elle ne s'arrête pas de parler.

— … J'entends un léger bruit. J'ouvre les yeux, et je vois un homme debout à côté de moi. Il me regarde.

— Qui est-il ?

— Je l'ignore. C'est juste un homme. Brun, grand, très musclé. Je ne sais pas depuis combien de temps il est là, mais je ne suis pas du tout gênée de ce qu'il a pu voir. Je continue à me caresser. Il enlève sa chemise, et puis ses bottes. Et ensuite, il tend les mains vers sa ceinture.

Il fallait qu'il boive quelque chose. Il aurait bien posé le seau à glaçons sur son érection, mais cela aurait été un peu trop flagrant.

— Il descend sa fermeture Eclair, et enlève lentement son pantalon. Il est, euh… très dur.

Dan s'éclaircit la gorge.

Elle le fusilla de nouveau du regard.

— Pardon.

— C'est assez dur comme ça.

— Je n'aurais pas osé le dire !

Ce qui lui valut un troisième regard meurtrier, mais elle ne s'arrêta pas, et reporta les yeux sur son verre.

— Une fois déshabillé, il s'allonge à côté de moi. Il m'embrasse. Et puis il commence à me toucher aux mêmes endroits où je l'ai fait. D'abord mes seins, mais c'est différent parce qu'il a les mains calleuses. C'est une toute nouvelle expérience. Il me dit de le toucher, et je le fais. Ensuite ses mains descendent le long de mon corps et il… tu sais bien.

— Oui.

— Et il commence à me caresser en dessinant de petits cercles, avec une pression… juste ce qu'il faut. Je le laisse faire, et c'est bon de plus en plus, et puis je jouis comme une folle en hurlant, alors il s'allonge sur moi, il s'enfonce d'un coup en moi et il me martèle de coups de reins comme si sa vie en dépendait.

Il exhala un souffle qui sembla durer une éternité. Elle vida ce qui restait dans son verre d'une traite. La serveuse toussa, posa leurs plats devant eux et s'en fut, aussi écarlate qu'une écrevisse.

10.

Marla coupa la communication sur un « Youyou ! » retentissant, avant de contempler le combiné, totalement perplexe. Il était constellé de taches vertes.

Alors, elle se souvint qu'elle s'était fait un masque à l'argile verte juste avant que le téléphone sonne. Et qu'elle avait complètement oublié que sa figure en était enduite. Tout ça parce que c'était Shawn qui l'avait appelée.

Shawn, qui avait su où la trouver — elle était passée chez elle au lieu de rester à l'hôtel. Shawn, qui l'invitait à prendre un brunch en sa compagnie le lendemain ! Elle ! C'était un rêve.

Mais si formidable qu'elle avait envie de le faire durer.

Shawn, si beau, si intelligent, si attentionné…

Elle partit en gambadant vers la salle de bains pour se nettoyer le visage. Et se raser les jambes.

La vie était belle.

Jessica ne dit plus un mot pendant longtemps après le départ précipité de la serveuse. Elle était gênée, c'était sûr, mais pas au point de vouloir disparaître sous terre. Elle ne savait tout bonnement plus quoi dire ensuite. Comment poursuivre après cela ?

Finalement elle leva les yeux vers Dan, et le découvrit qui lui souriait franchement. Il avait le visage un peu tendu, mais son sourire illuminait ses yeux et elle en fut soulagée. Son récit lui avait coûté, et même si le frisson érotique qu'elle avait ressenti s'était dissipé, il restait en elle une sensation latente qui la fit se trémousser sur son siège. Cet homme la mettait vraiment dans tous ses états.

Une petite voix dans le fond de sa tête lui disait que ce n'était pas simplement une question de sexe. Et s'il ne s'agissait pas seulement de sexe, coucher avec Dan ne serait peut-être pas la meilleure idée du siècle. Cela pourrait la pousser à vouloir plus, et plus était justement ce qu'il ne lui fallait pas.

La seule chose qui importait pour elle, c'était de songer à la fin de cette semaine de campagne et aux emplois potentiels qui l'attendaient. D'un autre côté, la puissance de cette attirance, sans aucun doute mutuelle, devenait trop forte pour être ignorée et ça pouvait conduire au désastre.

— Voilà un moment que je ne suis pas près d'oublier, dit Dan. L'expression qu'elle avait sur le visage ! Cinq contre dix qu'une autre serveuse va dorénavant s'occuper de nous.

— Je ne prendrais pas le pari, répondit-elle en buvant une gorgée de son verre.

Mais juste une, car elle mourait de faim et l'alcool risquait de lui faire tourner la tête.

— Ils tirent à la courte paille pour savoir laquelle nous servira, reprit-elle.

Ils tournèrent tous deux la tête vers la cuisine, mais aucune serveuse n'apparut.

— Au fait, c'était super, dit alors Dan. Tout à fait le genre de chose que je cherchais.

— Mais il existe tout un tas de livres qui parlent des fantasmes féminins. N'aurais-tu pas pu simplement les lire ?

— Je l'ai fait, et ça n'a pas marché. Des anecdotes racontées par une sélection de femmes anonymes, cela ne va pas au cœur du sujet auquel je m'intéresse. Je pense que si je peux arriver à comprendre une femme, en l'occurrence toi, alors je verrai toutes les autres sous un nouveau jour.

— Mais, répondit-elle en secouant la tête, est-ce que chaque homme, depuis Adam, n'a pas essayé, en vain, de nous comprendre ?

— C'est justement pour cela que cette recherche est si intéressante.

— Tu sais ce que je pense ?

— Non, dis-moi.

— Je pense que tu es un voyeur refoulé et que tu prends ton pied à me demander tous ces trucs embarrassants.

Au lieu de rire, comme elle s'y attendait, Dan fronça les sourcils, pensif.

— Il est possible que tu aies raison, quoique je n'aie jamais été sujet au voyeurisme dans le passé.

— Je plaisantais, voyons.

— Je sais. Mais, si je suis honnête, je ne pense pas pouvoir écarter cette éventualité.

— Pardon ?

— Jessica, je ne suis pas le modèle de stoïcisme que tu crois. Quand tu m'as raconté ton fantasme, il n'y avait ni analyse scientifique ni prises de notes de mon côté.

— Ah bon ?

— Non. Il y a eu une élévation manifeste, si tu vois ce que je veux dire.

Elle cacha son sourire derrière son verre.

— Oh, mon Dieu.

— Oui.

— Alors, peut-être devrions-nous y mettre un terme ? A la recherche, je veux dire.

Il hésita, mais pas longtemps.

— Non, je ne pense pas. Je crois que nous devrions poursuivre.

— Mais si tu... subis une autre élévation ?

— C'est très possible, plaisanta-t-il en se rapprochant d'elle.

— Ah bon ?

— Cependant, dit-il très bas en se rapprochant encore, je crois que ma réaction est un facteur primordial pour mon projet.

— Comment cela ?

— Si je n'étais pas excité, alors tu ne serais pas le bon sujet.

— Hum. Donc, c'est une femme particulière qui t'attire.

— Exactement. Et il est tout aussi important que la femme — toi — soit attirée par moi.

— Alors là, ça va être difficile, répondit-elle, sourcils froncés.

Dan prit alors une expression impayable. Celle d'un homme qui venait de recevoir un choc absolu. Depuis qu'elle le connaissait, elle ne l'avait jamais considéré comme un égocentrique, et il ne pensait certainement pas, comme beaucoup d'hommes, qu'il était un cadeau des dieux... mais il était évident qu'il avait perçu les étincelles qui crépitaient entre eux.

Elle décida d'être gentille et de lui enlever ses doutes.

— Je plaisantais. Je mentirais en disant que ce n'est pas vrai.

Il se détendit. Et effleura sa nuque du bout des doigts. Ce qui provoqua en elle une réaction aussi intense qu'immédiate. Une chaleur dans le bas-ventre, le souffle court, et le rouge aux joues.

Ces deux derniers signes, il les vit, bien évidemment, et il soupçonna probablement le reste.

Dan lui effleura la cuisse.

— Tu n'as rien de particulier à faire, ce soir, si ?

Elle secoua la tête.

— Parfait.

— Pourquoi ?

— Je n'en ai pas fini avec mes questions.

— Il faut que je m'offre une bonne nuit de sommeil.

— Tu dormiras.

— Promis ?

— Promis. Mon boulot, c'est de t'aider pendant ta campagne, pas de te blesser.

— Je te crois.

Ils reprirent le cours de leur repas, l'atmosphère frémissante entre eux de toutes les suites possibles. Quand elle repoussa son assiette, rassasiée, il laissa choir sa fourchette et demanda l'addition. Quand le serveur leur demanda s'ils désiraient des desserts, il n'obtint qu'un « Non ! » bref et à l'unisson.

— Non que je sois pressé, dit Dan.

— Moi non plus, répondit Jessica.

Mais il paya en un temps record et laissa un pourboire généreux pendant qu'elle hélait un taxi.

Pas un seul mot ne fut échangé durant le trajet de retour. Mais elle les entendit. Ses intentions, sa curiosité, son désir. Elle le sentit, aussi, même s'il ne fit que toucher brièvement son épaule.

Quand ils arrivèrent enfin au Willows, elle était à bout de patience. L'ascenseur mit une éternité à monter, Dan eut du mal à ouvrir la porte et quand, finalement, ils se retrouvèrent à l'intérieur, ils furent dans les bras l'un de l'autre avant même qu'elle ait eu le temps de le dire.

Il la serra fort contre lui en se déplaçant vers la chambre. Tout en lui réclamait d'être nu. Mais comme il ne savait pas comment réagirait Jessica s'il lui faisait l'amour sur la moquette, il concentra l'infime partie de son esprit qui n'était pas obsédée par le sexe sur le parcours. Elle trébucha, et il réfléchit qu'il aurait peut-être dû allumer une lampe, mais il n'était pas disposé à la lâcher ni, encore moins, à cesser de l'embrasser, alors que la petite langue agile de Jessica explorait les moindres recoins de sa bouche, et encore moins alors qu'il avait réussi à déboutonner presque complètement son chemisier. Ce fut alors qu'il faillit s'étaler sur la table basse.

— Eh bien, si c'est comme ça, je ne vois pas d'autre moyen ! finit-il par dire.

Et il la souleva dans ses bras à la Tarzan, se moqua de ce qui pourrait bien se trouver dans le passage et rejoignit la chambre. Et, plus important, le lit.

Une fois qu'il eut précieusement déposé son fardeau, il tendit la main vers la table de chevet et alluma une lampe. Il voulait la voir. Tout entière. Chaque étape de ce qui les attendait.

Elle demeura là, le souffle court, le chemisier à moitié ouvert, dévoilant un soutien-gorge pêche qui ne dissimulait en rien ses mamelons érigés. Ce spectacle alimenta la ferveur de Dan, et il déchira sa chemise en l'enlevant.

Ce qui la fit également réagir, et ils firent la course pour se dépouiller de leurs vêtements comme s'ils étaient en feu. Ils l'étaient vraiment.

Quand il se fut totalement déshabillé, elle en était au dernier stade, et tendait les mains vers sa petite culotte.

— Non, dit-il en étendant le bras.

Elle obéit, et suivit du regard sa poitrine, son ventre, et enfin son sexe érigé. Jamais il n'avait été plus dur, mais bien entendu elle ne pouvait le savoir. Cependant, à voir son expression, elle ne fut pas mécontente.

— Pourquoi dois-je m'arrêter ? voulut-elle savoir.

— Parce que si on continue à ce rythme, ça va être une expérience merveilleuse, certes, mais très courte. Laisse-moi t'apprécier une minute.

— M'apprécier comment ?

— Te regarder, précisa-t-il en grimpant sur le lit. Et te toucher.

Il referma les doigts sur le plus magnifique sein qu'il ait jamais vu. Et ne fut pas loin de jouir quand sa main reposa sur le globe parfait, ce qui eut été un manque notable de chance. Le plus intelligent serait de penser au base-ball ou peut-être au jeu de l'oie. Mais il ne le pouvait pas. Tout ce à quoi il pouvait penser, c'était à quel point Jessica était belle, et à quel point il avait de la chance, et comment être en elle allait être la chose la plus importante de son existence. Il voulait que cela dure toujours. Tout en sachant que cela était impossible.

— Dan ?

— Oui ?

— Puis-je faire une suggestion ?

— Si c'est pour me suggérer d'arrêter, c'est non.

— Au contraire, dit-elle en rapprochant sa bouche de la sienne. Je me disais qu'on n'avait pas à faire ceci une seule fois.

— Bien, bien.

Elle soupira dans sa bouche, et le sexe de Dan se mit à palpiter.

— Tu n'as pas pigé. La première fois, vite. Et la deuxième, lentement.

Il cilla, se pencha et l'embrassa passionnément.

— Jessica, tu es un génie.

— Oui, je sais.

11.

Contente d'elle-même, et encore plus contente de l'homme qui était au-dessus d'elle, Jessica sourit en le regardant la regarder. Il aimait manifestement ce qu'il voyait et ne cessait de s'émerveiller, comme si chaque nouveau centimètre carré découvert recelait une nouvelle surprise. Et sous son examen elle se sentit belle et désirable, ce qui ne fit qu'intensifier le désir qu'elle avait de lui.

Elle fit courir ses mains sur ses bras, de l'épaule au poignet, les caressa, enthousiasmée par la puissance de ses muscles et le satiné de sa peau. Elle ne put refermer sa main autour de son poignet, ni même toucher le bout de son index avec le bout de son pouce. Mais elle ne le lâcha jamais du regard, remarqua un infime tressautement dans son œil droit, la manière dont ses narines palpitaient et la blancheur de ses dents, pas totalement droites, mais ces petits défauts ne le rendirent que plus beau à ses yeux. Elle pouvait lire en lui comme dans un livre ouvert, lire son désir, sa tension, son excitation et son plaisir. Plus qu'une simple observatrice, elle était connectée à lui de manière empathique et ressentait les moindres émotions déchiffrées sur son visage. Elle le voulut en elle afin que se renforce cette connexion. Quelque chose qui dépassait les cinq sens était en œuvre, et plus ils se rapprocheraient plus cela se renforcerait.

Elle se tortilla sous lui, lui si immobile et si attentif, et elle souleva son grand poignet pour poser sa main sur son ventre. Il écarquilla des yeux si dilatés qu'il ne restait plus qu'une once de noisette autour des pupilles.

Il se pencha, assez près pour que leurs souffles se mêlent, mais elle ne ferma pas les yeux. Captivée par son visage, son odeur, elle plongea le regard dans des yeux qui n'étaient plus qu'à quelques centimètres des siens. Elle s'attendit à un baiser, mais il lui lécha la lèvre inférieure, tandis que sa main s'aventurait plus bas, sous sa petite culotte. Elle finit par la sentir effleurer les boucles de son mont de vénus, et un doigt se glissa dans les replis de son sexe.

Il poussa un gémissement venu du fond de la gorge et l'embrassa alors que son doigt plongeait en elle.

Elle ferma les yeux sans le vouloir, tellement la sensation était forte…

Elle écarta plus les jambes alors qu'il explorait délicatement son sexe, et le caressait doucement, attentivement, comme pour la calmer.

Mais elle ne voulait pas être calmée. Quand il plongea deux doigts en elle, elle fit les quelques centimètres qui séparaient leurs deux bouches et l'embrassa comme si sa vie en dépendait.

Il gémit encore, et elle en perçut la vibration sur ses lèvres. Elle souleva les hanches afin que ses doigts s'enfoncent plus loin. Mais Dan recula pour se saisir d'un préservatif dans son étui. Jessica entendit le bruit de la cellophane déchirée et, fascinée, elle le regarda dérouler le préservatif sur son sexe tendu, puis remonter les mains sur ses hanches, agripper sa petite culotte et la faire lentement descendre sur ses jambes.

Tout à coup, il la déchira d'un coup sec. Manifestement très content de lui, il balança les vestiges du sous-vêtement au loin, souleva un genou et le posa entre le V que faisaient ses jambes, puis le deuxième. Puis il écarta encore plus ses genoux, encore, et son regard descendit de son visage à ses seins, puis au spectacle qu'il venait de créer. Son souffle s'accéléra, son torse se souleva comme celui d'un coureur, il serra les poings, puis les rouvrit.

Sous son regard avide, elle se sentit plus nue que jamais. Alors qu'elle ouvrait la bouche pour le supplier de la pénétrer, il se pencha vers elle et posa ses coudes de chaque côté de sa tête.

— Jess, murmura-t-il alors que l'extrémité de son sexe entrait en contact avec le sien.

Elle éprouva comme un choc électrique lorsqu'il se glissa lentement en elle, quand il la remplit, quand ils devinrent unis.

Le corps tendu, il plongea un regard brûlant de désir dans le sien et ne le lâcha pas alors qu'il se retirait et replongeait en elle. Elle agrippa le dessus-de-lit à pleines mains, accorda ses mouvements de hanches aux siens et, bientôt, ils trouvèrent un rythme sauvage alliant leurs corps et les battements de leurs cœurs.

Ils ne parlèrent pas, mais émirent seulement des grognements et des gémissements.

Il ferma les yeux, accéléra son rythme, et elle fit de même. La tension nouée au plus profond de son corps se faisait de plus en plus pressante. Elle ouvrit la bouche et entendit son propre cri comme si quelqu'un d'autre l'avait poussé, très loin, et puis la tension devint un orgasme qui débuta entre ses jambes et se répandit dans tout son corps comme un incendie dévastateur.

Il tendit le cou, rejeta la tête en arrière et poussa un rugissement. Un ultime coup de reins, si féroce qu'elle décolla presque du lit, et il se figea. Elle trembla sous l'impact d'une deuxième onde de plaisir.

Elle ne vit plus que son visage, tendu aux limites de l'endurance.

Un instant s'écoula, un autre spasme la secoua, et puis elle sentit ses mains, elle sentit l'air qui circulait enfin dans ses poumons, elle le sentit inspirer avec difficulté alors qu'il se détendait enfin.

Il baissa les yeux sur elle et lui sourit, lascif.

— Mon Dieu !

— Je n'aurais pas osé le dire, mais je suis d'accord, répondit-elle, étonnée d'avoir encore une voix.

— Alors, ce n'était pas seulement moi ?

— Nan.

— Cool, dit-il, le sourire élargi.

Elle leva la main et écarta ses cheveux de son front. Ils étaient doux et soyeux entre ses doigts.

— Est-ce que ça annule ton projet ?

— Mon projet ? Pas du tout. Je pense que c'est une bonne chose.

— Oh ?

— Je n'ai pas envie, mais il faut que je le fasse.

— Quoi donc ?

— Bouger.

— Ah.

Il se laissa glisser à côté d'elle et, l'espace d'un instant, elle garda les yeux fixés sur son torse qui se soulevait rapidement. Puis elle les releva vers son visage.

— Comment est-ce une bonne chose ?

— D'abord, je vais peut-être pouvoir réfléchir un peu plus clairement.

— Je vois.

— Et je pense aussi qu'on a partagé un instant fichtrement intime, et qu'ensuite il te sera peut-être plus facile de répondre à mes questions.

— Peut-être. Peut-être pas.

— Tu ne penses pas que c'était intime ?

Elle lui lança un regard énigmatique.

— Je ne suis pas certaine de l'effet que va avoir cette intimité sur mon honnêteté. Et si je devenais plus timide ?

Le souffle enfin égal, il roula sur le flanc et cala sa tête dans sa main.

— Essayons. Quel est le fantasme le plus tordu que tu aies jamais eu ?

— Je croyais qu'on avait passé ce chapitre.

— Pas du tout. On en a à peine effleuré la surface.

— Tu exagères.

— Allez. Je cherche à savoir les pensées les plus dégoûtantes que tu aies jamais eues. Celle qui te ferait arrêter dans tout autre Etat que la Californie.

— Comme si j'allais te les dire ! s'esclaffa-t-elle.

— Tu as promis ! dit-il en faisant la moue. Tu as donné ta parole.

— Certaines choses sont meilleures si elles demeurent cachées.

— Pas question. Je n'arrive pas à croire que tu puisses te dérober comme ça. J'ai cru que je te connaissais mais, manifestement, je me suis lourdement trompé, dit-il en laissant retomber sa tête dans le creux de son coude. Et tout ça après t'avoir donné le plus beau jour de ma vie.

— Oh, s'il te plaît.

— Non, non. Ne joue pas à ça avec moi. Le lien qui nous unissait a été irrémédiablement rompu.

Il posa son poing sur son torse.

— Je suis blessé au plus profond.

— D'accord, je vais te dire. Tu me racontes ton fantasme le plus révoltant et j'en fais autant.

Il releva la tête dans la seconde et l'appuya dans sa main.

— Vraiment ?

— Tu n'es rien d'autre qu'une crapule.

— Oui, mais une crapule honnête.

Elle plissa les yeux.

— Réponds-moi. Même si tu me racontes un truc très vil, comment pourrai-je savoir si c'est le pire que tu aies eu ? Peut-être que tu as tout un stock de trucs dégoûtants et que tu vas me servir une horrible perversion des plus banales et éculées.

— T'ai-je jamais menti ?

— Je n'en sais rien.

— La réponse est non. Je ne t'ai jamais menti, et je ne le ferai jamais.

— Que tu dis.

— Est-ce que ce ne serait pas ta manière de te dérober ?

— Peut-être.

— Pas juste.

— Ah, mon enfant, cela me fait horreur de te l'apprendre, mais personne n'a dit que la vie était juste.

Il prit une expression choquée.

— Hein ? Mais c'est affreux !

— Affreux, oui.

Il la dévisagea un bon moment.

— Tu sais quoi ? On va différer ce petit bavardage une minute. Attends-moi là. Surtout, ne bouge pas.

Elle traça une croix sur son cœur.

— Promis.

Sur ce, il quitta le lit et s'en alla vers la salle de bains tandis qu'elle suivait ses jolies fesses des yeux. Quand il disparut, elle laissa retomber sa tête sur l'oreiller et ferma les yeux.

C'était, sans aucun doute, la plus belle relation sexuelle qu'elle ait jamais eue. Ces instants avaient été… incroyables. Terrifiants aussi.

Quand il s'était retiré, elle avait eu le sentiment de perdre une partie d'elle-même. Et cela ne lui était jamais arrivé dans les relations sexuelles qu'elle avait eues avant de rencontrer Dan. Auparavant, même avec les hommes qu'elle aimait bien, elle avait connu un infime sentiment de soulagement quand c'était terminé. Elle n'avait jamais été du style à vouloir des câlins après l'acte sexuel, et on l'avait souvent accusée de se conduire comme un homme dans ce genre de situation. C'était d'ailleurs pour cela qu'elle ne ramenait jamais d'amant chez elle. Parce qu'elle avait besoin de pouvoir s'enfuir prestement. Mais elle avait eu envie que Dan reste près d'elle. Elle n'aurait même pas dit non à un petit câlin.

Bizarre. Et dangereux.

Elle reporta les yeux sur la porte. Le pire était qu'elle avait beau essayer, elle n'arrivait pas à trouver un aspect négatif chez lui. Pourtant personne n'était parfait. Quel était son défaut ? Etait-il allergique à l'engagement ?

Il y avait là matière à réflexion. Non que cela eut beaucoup d'importance, car il n'y avait pas une chance sur Terre qu'elle s'engage un jour vis-à-vis de lui, mais quand même ! Cet homme était un puzzle. Peut-être qu'à une autre période de sa vie, elle aurait eu envie de l'assembler. Mais aujourd'hui, elle avait tout intérêt à garder en tête ses objectifs. Le sexe était le sexe. Rien de plus. Même quand il était fabuleux.

Elle se rassit et baissa les yeux sur le morceau de petite culotte déchirée qu'elle avait toujours autour d'une cheville. Elle l'enleva, se leva et alla chercher sa robe de chambre dans le placard. Il était tard. Elle ferait mieux de dormir. Demain allait être une dure journée de travail.

Dans la salle de bains, Dan se passa une main dans les cheveux. Il ne parvenait pas à maîtriser les sentiments confus qu'il ressentait après ce qui venait de se passer avec Jessica. Cela avait été la rencontre la plus explosive qu'il ait jamais faite. Quelque chose passait entre eux, quelque chose qu'il aurait été bien en peine de définir. Il avait connu deux ou trois femmes de manière suivie et intime, mais jamais aucune d'elles n'avait éveillé un tel intérêt chez lui. Par un curieux jeu du destin il s'était retrouvé face à quelqu'un qui non seulement le provoquait intellectuellement, mais aussi physiquement et émotionnellement. C'était comme découvrir Toutankhamon, une cache parfaite et inviolée d'une valeur inestimable et être prêt à en examiner chaque trésor à la loupe.

Il traversa le salon obscur et accéléra le pas en arrivant vers la chambre. Mais quand il en ouvrit la porte, il découvrit un lit vide. Un éclair bleu attira son attention, et il se tourna pour découvrir Jessica debout devant le placard, son kimono solidement ceinturé, les bras croisés. La femme radieuse qu'il avait laissée avait disparu, remplacée par une inconnue. Fermée, réticente, distante. Bon sang, que s'était-il passé durant les quelques minutes de son absence ?

Elle sourit, mais ce sourire ne gagna pas ses yeux.

— Que se passe-t-il ? demanda-t-il, le cœur battant.

— J'ai vu l'heure qu'il est. Je ne vais pas pouvoir profiter d'une bonne nuit de sommeil avant longtemps, donc je ferais mieux d'aller dormir.

Même sa voix semblait celle d'une étrangère. Il se sentit vulnérable, ainsi nu devant elle, aussi alla-t-il récupérer les vêtements qu'il avait jetés près du lit, profitant de ce répit pour rassembler ses idées, pour repousser sa colère et essayer de comprendre l'étrange revirement de Jessica.

Soudain, il comprit qu'elle aussi avait dû ressentir le même trouble que lui et que c'était sa manière à elle de le gérer. Bien sûr.

— Que veut dire ce regard ? l'interrogea-t-elle.

— Rien. Je pensais juste que tu as raison, que tu devrais te reposer.

Il la vit relâcher imperceptiblement ses épaules.

— Non que je n'ai apprécié ce…

— Je sais. Moi aussi. Tu es étonnante. Mais la campagne reste la priorité et je suis là pour t'aider. Alors pourquoi n'irais-tu pas vite fait dans la salle de bains, histoire qu'on aille se coucher ?

— O.K. Merci.

Elle passa devant lui, pas trop près. Et puis elle disparut.

Plus déçu qu'il n'eût envie de l'admettre, il ramassa sa chemise, ses chaussures et regagna le salon. Il jeta ses vêtements en tas par terre et posa les coussins par-dessus. Il ouvrit si brutalement le canapé-lit que le meuble se déplaça sur la moquette.

Il allait lui ficher la paix. Il avait réussi à la terrifier, ce qui était tout le contraire de ce qu'il avait souhaité.

A peine dix minutes plus tôt il avait été plus heureux qu'il ne l'avait jamais été, aussi excité qu'un gamin devant un vélo tout neuf.

Mais Jessica avait reculé.

Il se déshabilla de nouveau, attendit un bon moment de voir si elle sortirait de la salle de bains, et peut-être…

L'heure avançait, et elle ne sortait pas.

Il se glissa entre les draps et martela son oreiller à coups de poing. Il entendit alors la porte de la salle de bains s'ouvrir, il perçut la lumière derrière ses paupières fermées, puis l'obscurité quand elle actionna l'interrupteur, entendit le faible bruit de ses pieds nus sur la moquette alors qu'elle regagnait la chambre. Et même si elle essaya de ne pas faire de bruit, il entendit la porte qu'elle refermait avec mille précautions.

Le sommeil tarda à venir.

12.

Jessica contemplait le plafond, ou plutôt la zone sombre au-dessus de son lit. Elle avait eu beau déclarer qu'elle avait besoin d'une bonne nuit de sommeil, celle-ci n'était pas au rendez-vous. La dernière fois qu'elle avait regardé le réveil, il était 2 heures et quart. Elle s'obstinait à fermer les yeux, à faire des exercices de relaxation, mais ses pensées continuaient à tourbillonner, à revenir sur Dan et la manière dont elle l'avait laissé en plan.

Elle avait bien vu qu'il était en colère. Elle ne pouvait pas le lui reprocher, car comment aurait-il pu comprendre son revirement ? Et, malgré la décision raisonnable qu'elle avait prise, elle ne se sentait pas bien. Pourtant, elle avait fait un choix, celui de ne pas poursuivre plus avant sa relation avec Dan, parce qu'elle savait que c'était la meilleure chose à faire. Etait-ce parce qu'il y avait très longtemps qu'elle n'avait plus fait l'amour ? Si longtemps, en fait, qu'elle en avait même oublié à quel point elle aimait ça. Si elle s'était laissée aller, elle aurait même juré que faire l'amour avec Dan avait été une toute nouvelle expérience, une qu'elle n'avait encore jamais faite, mais cela aurait été stupide. La conversation au dîner, la suite à l'hôtel, l'atmosphère, tout avait concouru à transformer la soirée en un moment magique. Et puis Dan lui plaisait vraiment.

C'était un type fabuleux, et si elle n'avait pas été en pleine ascension professionnelle...

Elle se retourna pour la millième fois dans son lit et regonfla son oreiller de plume. Elle avait adoré faire l'amour avec lui. Elle voulait recommencer. Etait-il possible de continuer à voir Dan *et* de mener sa carrière ? Etait-il possible qu'elle ait loupé un indice en chemin lui indiquant qu'elle faisait fausse route ?

Fronçant les sourcils, elle s'efforça de trouver quelqu'un dans ses relations qui arrivait à mener de front relation suivie et carrière exigeante... Une femme ayant réussi à combiner une vie amoureuse satisfaisante et une vie professionnelle à l'identique. D'abord, aucun nom ne fit son apparition dans son cerveau fatigué, puis, à force de réfléchir en s'agitant sous la couette, elle trouva ! Une directrice du marketing qu'elle avait rencontrée pendant un séminaire, qui semblait avoir gagné sur les deux tableaux... mais elle ne vivait pas avec son compagnon. Ils habitaient dans deux villes distinctes, elle à New York et lui à Los Angeles. Peut-être était-ce là la clé — la distance. Peut-être qu'elle pourrait envisager le même fonctionnement avec Dan. Bon d'accord, ils vivaient tous les deux à New York, mais à défaut d'une véritable distance géographique, peut-être pourraient-ils trouver un arrangement et ne se voir que quelques fois par an...

Elle trouva dans cette idée son premier espoir dans cette nuit d'insomnie. Oui, ça pourrait marcher. Faire comme s'ils étaient vraiment séparés par des milliers de kilomètres.

Plus elle y réfléchissait plus l'idée lui plaisait. Dan représenterait une douceur, une récréation, une récompense. Il pourrait se plonger dans ses projets de recherches, ou accepter des emplois de consultant sans avoir à se préoccuper d'une petite amie. Elle pourrait se concentrer sur sa carrière sans être dérangée au quotidien.

Elle sourit. C'était peut-être la meilleure idée de son existence, peut-être même meilleure que la campagne New Dawn ! La solution à tous les problèmes.

Elle combattit son besoin de se lever d'un bond et de filer dans le salon pour expliquer à Dan comment elle envisageait leur avenir, mais elle préféra le laisser se reposer. De plus, il était peut-être encore un peu tôt pour lui présenter son scénario. Il ne verrait peut-être pas immédiatement la beauté de son plan. Il était plus prudent de voir s'ils continuaient à faire des étincelles, tous les deux... Au moins, elle n'allait pas avoir à le maintenir à distance. Et plus ils se liaient maintenant, plus ce serait facile de lui faire admettre son idée.

Elle poussa un soupir satisfait, trouva une position plus confortable entre les draps et laissa dériver son esprit.

La vie était belle. Le sexe aussi. Que demander de plus ?

Ce fut un bruit contre la porte qui réveilla Dan. Quelqu'un tambourinait sur le bois de toutes ses forces. Dan avait très mal dormi, ses yeux refusaient de s'ouvrir et ses jambes étaient emmêlées dans les draps.

— Une minute, cria-t-il, mais l'importun ne devait probablement pas entendre, vu le raffut qu'il créait.

Dan finit par sortir enfin du lit et se dirigea vers la porte de la suite. Un bref coup d'œil à la porte close de la chambre lui apprit que, si Jessica avait entendu frapper, elle n'était pas pressée de venir ouvrir.

Il risqua un œil dans le judas. Comme de bien entendu, c'était Owen ! Il tendait la main vers la poignée de porte quand il se souvint qu'il était nu comme un ver et que le canapé était ouvert, révélant qu'il dormait dans le salon.

— J'arrive, cria-t-il, un peu de patience.

Il courut à son lit et le remit en position canapé de manière un peu brutale. Il réarrangea du mieux qu'il put la housse. Puis il enfila son caleçon, sauta par-dessus la table basse et retourna ouvrir la porte avant qu'Owen finisse par faire un trou dedans.

— Vous avez besoin de quelque chose ?

— Je voudrais parler à Jessica, répondit sèchement Owen, tout en jetant un regard assassin à son torse nu et à son caleçon.

— Elle dort.

— Elle se lèvera pour moi.

— J'en doute.

Owen poussa un soupir et avança le torse, juste histoire de mettre un pied à l'intérieur de la suite. Mais Dan n'avait aucune intention de le laisser faire.

— Ecoutez, Owen, dès qu'elle se réveillera, elle vous passera un coup de fil.

— C'est important.

— Certainement. Mais on a eu une nuit plutôt agitée, si vous voyez ce que je veux dire.

Et la réaction attendue ne tarda pas. Owen se tordit le cou pour regarder la porte de la chambre.

Dan le poussa alors dehors sans ménagement d'une main et referma la porte de l'autre.

— Elle vous appellera.

— Eh, attendez !

— Promis, ajouta-t-il alors qu'il donnait un tour de clé pour faire bonne mesure.

Il fit volte-face, pas franchement ravi de devoir redéployer le canapé, mais il n'avait pas son compte de sommeil, loin de là. Il avait laissé sa montre sur la table, aussi alla-t-il vérifier l'heure.

Midi ? Flûte !

— C'était Owen ?

La voix de Jessica le fit sursauter, et il la trouva debout sur le seuil de la chambre.

— Oui.

— Que voulait-il ?

— Toi.

— Oh.

Elle dissimula un bâillement derrière sa main et se dirigea vers la salle de bains.

Qu'elle était belle ! Même avec ses cheveux ébouriffés et l'air de raton laveur que lui donnait le mascara de la veille.

Il entendit l'eau couler dans la salle de bains et se demanda à quelle Jessica il allait parler ce matin. Celle qui avait peur de franchir les frontières qu'elle s'était elle-même imposées, ou la créature passionnée à laquelle il avait fait l'amour ? Peut-être que s'il l'espérait assez fort, elle opterait pour la deuxième solution. Il regarda sa robe de chambre et ne l'enfila pas. Si la créature passionnée sortait, il voulait être prêt !

En parlant d'espoir… Elle avait pourtant été extrêmement claire la veille en disant qu'elle n'avait pas franchement envie d'aller plus loin dans leur relation.

Il y avait en tout cas une chose dont il était certain : quand ils avaient fait l'amour, elle avait été en union totale avec lui, halètement pour halètement, caresse pour caresse. Elle avait pris vie dans ses bras. Cela n'avait ressemblé à rien qu'il connaissait. Il voulait voir Jessica de nouveau au creux de ses bras. Il voulait la faire jouir encore et encore. Il voulait l'emmener sur la lune.

Bon, il devait se donner les moyens de réussir. Il était temps de mettre en route un nouveau projet…

Jessica avait ouvert en grand les robinets de la douche en arrivant dans la salle de bains. Pendant que l'eau cascadait sur les parois de verre, elle s'était brossé les dents et avait nettoyé son visage. Elle avait ensuite enlevé son kimono et contemplé son corps nu dans le miroir. Pas trop répugnant, même si elle aurait pu se passer d'un ou deux kilos, autour de la taille. Si elle pouvait cesser de manger ces fichus desserts, elle aurait le corps qu'elle souhaitait. Mais comme cela n'allait pas arriver dans les prochaines minutes, elle ferait mieux de se préparer à l'assaut qu'elle avait imaginé. Elle avait lambiné assez longtemps. Dan avait certainement dû s'habiller, mais cela n'avait guère d'importance. Elle n'avait encore jamais connu un homme incapable de se débarrasser de ses vêtements si on lui demandait gentiment !

Après avoir fermé les robinets de la douche, elle remit sa robe de chambre, expira lentement et sortit afin de s'attaquer à ce qu'elle avait baptisé le « Projet Dan ». Il n'était pas le seul à avoir un plan et un objectif. Et elle avait toujours su être la meilleure quand il s'agissait d'accomplissement. Qu'on lui présente un défi et elle devenait infernale. Alors, Dan n'avait qu'à bien se tenir !

Les choses allaient changer…

13.

Elle ne s'était pas habillée. C'était un bon signe. Et elle souriait. Encore un présage favorable. Mais elle avait aussi un étrange éclat dans le regard, comme si elle mijotait quelque chose dans son cerveau formidable.

— Comment as-tu dormi ? s'enquit-elle.

— Mieux que jamais. Et toi ?

— Bien, bien.

Elle alla s'installer dans le canapé et croisa les jambes. Le pan du kimono retomba, découvrant sa cuisse nue. Portait-elle quelque chose en dessous ? Impossible à dire.

— Je n'arrive pas à croire tout le cinéma qu'a fait Owen il y a un instant ! dit-elle. Il ne renonce pas facilement, on dirait.

— Non. Il avait même l'air pressé de te parler.

— Je ferais peut-être mieux de l'appeler.

Elle attrapa le téléphone, le posa sur ses genoux et composa le numéro.

Alors qu'elle écoutait son patron en se mordillant la lèvre inférieure, il regarda son pied qu'elle balançait. Il n'avait jamais été particulièrement fétichiste des pieds, mais il devait bien reconnaître que les siens étaient gracieux. Galbés et bien proportionnés.

Il croisa les jambes, regrettant de ne pas avoir enfilé un pantalon, mais c'était la première fois qu'il se rendait compte combien un homme est très vulnérable en caleçon. Même s'il était très élégant et de soie !

— Nous y serons à 14 heures, dit Jessica, et je suis certaine que Thérèse peut s'occuper de tout. C'est pour cette raison que nous l'avons embauchée. Tout fonctionnera sur des roulettes ce soir, je vous le promets.

Il remonta les yeux vers la cheville, fine et délicate sous le mollet divinement incurvé. Bizarrement, la regarder vêtue d'un simple kimono était encore plus sexy que si elle avait été nue. Il sentit son sexe se tendre un peu plus. Pourvu qu'elle ne lui demande pas un stylo ou un verre d'eau ! Se lever pourrait s'avérer extrêmement gênant.

— Dan ne faisait que prendre soin de moi, expliquait Jessica au téléphone. Il sait à quel point cette semaine est éprouvante et combien j'ai besoin de repos. Je suis certaine que si votre femme était ici, elle réagirait comme lui.

Il releva les yeux. Elle lui souriait, complice, et il songea qu'elle avait peut-être surmonté ses frayeurs de la veille. Ou bien était-il trop optimiste ? Mais son intuition, qui allait de pair avec le fait qu'elle avait gardé sa robe de chambre et qu'elle le laissait admirer sa cuisse nue, lui laissait supposer qu'elle était dans des dispositions différentes de celles de la veille au moment de son coucher.

— Je vais appeler Thérèse, et je vous tiendrai informé s'il y a un quelconque problème. D'accord ? Sinon, rendez-vous au Rainbow Room ce soir.

Elle raccrocha et reposa l'appareil.

— Désolée.

— Ne t'en fais pas.

— Je voulais te parler d'hier soir, commença-t-elle.

Elle marqua une pause, regarda son genou, puis releva les yeux sur lui :

— J'ai vraiment passé un moment fabuleux.

— Oui. Moi aussi, répondit-il, platement.

— Mais j'ai eu aussi un peu peur. Je ne m'attendais pas. A toi, je veux dire. Cela faisait très longtemps que je…

— Je comprends.

— J'espère. Parce que je ne voudrais pas que tu penses que c'était dû à quelque chose qui m'aurait déplu venant de ta part.

— Tu m'en vois soulagé !

— Que dirais-tu si je t'offrais un petit déjeuner ?

— Super. Où ça ?

Elle marqua une nouvelle pause, mais ne détourna pas les yeux.

— Ici.

— Oh.

— On ne m'attend nulle part avant 14 heures.

— Génial.

Le sourire qu'elle lui adressa alors fit monter la température ambiante d'au moins vingt degrés.

— Peut-être qu'après avoir mangé, on pourrait s'offrir un dessert.

Il tenta de trouver une réponse humoristique, mais son cerveau semblait s'être pétrifié. Dessert ? Oh oui ! Pourrait-il la convaincre de passer directement au dessert et de manger plus tard ?

Plaisamment repue d'œufs brouillés, de bacon et de toast, Jessica regarda Dan avaler sa dernière bouchée de gaufre à la crème en se demandant ce qu'elle allait faire par la suite.

Le repas n'avait été qu'une pause dans la danse des corps qu'ils avaient démarrée dès le petit déjeuner commandé. Elle n'avait pu s'empêcher de remarquer que si le caleçon de Dan était de soie et d'un très beau bleu nuit, il ne dissimulait pas grand-chose de son enthousiasme. Mais son kimono ne pouvait non plus cacher ses mamelons érigés par le simple regard fiévreux de Dan sur sa silhouette.

A la vérité, elle était plus excitée qu'elle ne l'avait jamais été, et son esprit partait sans cesse vers des fantasmes érotiques, de plus en plus érotiques, à mesure que s'égrenaient les minutes. Cependant, elle était ravie d'avoir insisté pour manger d'abord. Non seulement elle avait pris des forces, mais la tension entre eux n'avait fait que croître. C'était son tour à présent. Elle gloussa.

Il haussa les sourcils.

— Rien, dit-elle. Juste des idées bizarres qui passaient.

— Que tu ne veux pas partager ?

Elle se leva et alla se placer derrière lui.

— Si. Mais pas mes pensées stupides.

Il avait enfilé une robe de chambre pour l'arrivée du serveur mais l'avait enlevée tout de suite après, aussi était-il assis tout nu. Tant de peau à explorer qu'elle ne savait où commencer. Finalement, elle se pencha en avant, nicha sa tête entre ses seins et fit courir les mains sur son torse. Yeux fermés, elle laissa ses doigts s'y promener.

Le hoquet qu'il poussa lui fut une première indication qu'elle avait bien choisi, et l'érection de ses mamelons virils renforça cette impression. Elle avait remarqué la veille qu'il était particulièrement sensible à cet endroit. Son caleçon devait décidément le serrer, se dit-elle en traçant des cercles autour de ses tétons.

— Mon Dieu, Jessica. Ce que tu me fais me rend fou de désir pour toi.

Sa voix n'était guère plus qu'un grognement, et il arrêta ses tourments en lui attrapant les mains. Il se leva, se tourna vers elle, posa ces mêmes mains de chaque côté de son visage et l'embrassa avec passion.

Il sentait bon le sirop d'érable et le café, et elle regretta presque de ne pas avoir mangé quelque chose de plus sucré. Mais il ne sembla pas s'en soucier.

L'accomplissement de son plan lui donnant du courage, elle lui ouvrit la bouche d'une langue caressante.

Il se rapprocha, se serra contre elle, lui fit comprendre l'effet qu'elle lui faisait. Anticiper leur union, avec cette fois-ci aucun obstacle à son abandon, était merveilleux. Elle poussa un soupir de contentement.

Désirer Dan de cette manière était une toute nouvelle expérience. Pourquoi, exactement, elle aurait été bien en peine de le dire. C'était une combinaison de choses. Sa beauté n'y tenait qu'une petite place, elle représentait un délicieux bonus, mais c'était principalement l'homme qu'il était, son approche unique de la vie, sa force, sa passion qui lui faisaient tellement envie.

Tout à coup, Jessica sentit que leurs corps n'étaient plus en contact. Dan avait reculé d'un demi-centimètre, baissé les mains pour dénouer la ceinture du kimono qu'elle portait, laissant ainsi les pans du vêtement retomber librement.

C'était étrange et excitant d'être ainsi dénudée. Ils n'étaient pas dans la chambre, il ne faisait pas nuit, et ses mains délicatement refermées sur ses seins lui coupèrent le souffle.

— Tu es magnifique, murmura-t-il avant de lui mordiller l'oreille. Si fabuleusement belle.

— Toi aussi, répondit-elle.

Il lui embrassa la clavicule puis descendit ses lèvres et referma la bouche sur son mamelon droit. Il le titilla, le mordilla, l'aspira de sa bouche fraîche. Elle se cambra contre lui. Elle lui agrippa la tête et enfouit les doigts dans ses cheveux alors qu'il passait à l'autre sein et lui faisait subir le même délicieux traitement.

Puis, alors qu'elle pensait ne plus pouvoir tenir debout une seconde de plus, il tomba à genoux devant elle. Et lui embrassa le ventre avant de descendre plus bas et de poser les mains sur ses cuisses pour l'inciter à les écarter. Un frisson d'anticipation parcourut sa colonne vertébrale à l'idée de ce qu'il était sur le point de faire, mais Dan ne semblait pas pressé. Il continua sa descente lentement, parsemant sa peau de baisers ou la mordillant avec délicatesse.

Et elle ne put que gémir quand il parvint enfin à son sexe. Quand il la pénétra d'une langue agile, elle hoqueta. Et quand il entreprit de câliner son clitoris, elle fut couverte de chair de poule et se mit à trembler sans pouvoir s'arrêter. L'orgasme surgit brusquement, la secouant de la tête aux pieds. Et les spasmes moururent contre la bouche de Dan qui continua à l'embrasser avec ferveur. Quand elle rouvrit enfin les yeux, elle le découvrit en train de la regarder les yeux brillants de désir.

— Oh, mon Dieu, murmura-t-elle, le corps encore secoué de frissons.

Elle s'aperçut qu'elle le tenait toujours par les cheveux. Elle relâcha son emprise et, avant qu'elle n'ait pu dire un mot, Dan s'était remis debout. Il fit courir ses mains le long de son corps, les referma sur ses cuisses et la seconde suivante elle était dans ses bras, les bras autour de son cou, les jambes croisées derrière son dos.

Il l'embrassa en faisant un pas, et elle se retrouva le dos appuyé contre le mur.

Il la regarda alors, d'un regard brumeux.

— Jouis encore pour moi, chuchota-t-il. Je veux te voir jouir une nouvelle fois.

Puis elle sentit l'extrémité dure de son pénis chercher l'orée de son sexe. Quand il la trouva, il plongea si brutalement en elle qu'elle sentit ses omoplates épouser chaque aspérité du mur derrière elle. Mais elle n'en avait cure, elle était trop occupée à savourer la sensation de plénitude que Dan faisait naître en elle.

Puis il la serra plus fort contre lui et intensifia ses assauts. Et les premières vagues d'un autre orgasme, plus intense que le premier, naquirent dans son bas-ventre.

Il ne ferma pas les yeux et Jessica lutta pour en faire autant. Ils se regardaient tous deux au fond des yeux, au fond de l'âme, alors qu'il se poussait en elle, plus vite, plus fort. Elle réussit à ne pas baisser les paupières jusqu'à ce que, finalement, Dan crispe son visage et lâche enfin un gémissement rauque et guttural de plaisir.

Haletant, il rouvrit les yeux et l'embrassa avant de lui offrir le plus doux et le plus sensuel des sourires.

Se soutenant mutuellement, ils allèrent jusqu'au canapé, dans lequel ils s'écroulèrent tous deux, hors d'haleine.

Il lui prit la main. Et ce geste fut d'une incroyable tendresse. Ils ne parlèrent pas, ce n'était pas nécessaire.

Une seule pensée tournait et tournait encore dans l'esprit encore embrumé de Jessica. Perfection. Son plan était parfait. Elle pourrait vivre longtemps sur le souvenir de cet instant. Sur son attente. Quand ils se retrouveraient, leur rencontre serait un mélange de tremblements de terre et de feux d'artifice. Oui, c'était l'essence même de la perfection.

Elle leva une main vers ses lèvres, l'embrassa et murmura le mot tout haut.

*
* *

Dan étouffa un bâillement, regrettant de n'avoir pu faire une longue sieste. Il se demanda comment Jessica avait réussi à travailler cet après-midi. Elle devait être à ramasser à la petite cuiller… Après leur union si parfaite qui avait suivi le petit déjeuner, ils avaient pris leur douche ensemble, et de fil en aiguille, ils avaient goûté aux délices de l'amour dans une cabine étroite qui laissait si peu de place entre leurs deux corps tout à la fois rafraîchis par l'eau et fiévreux de désir… Il se sentait épuisé mais heureux. Jessica l'avait quitté à peine séchée après un dernier baiser dont il gardait la trace et le parfum sur ses lèvres.

Après avoir revêtu son costume il avait pris un taxi pour se rendre à la réception du Rainbow Room. Comme les invités n'étaient pas censés arriver avant une bonne demi-heure, il eut quelques difficultés à faire comprendre à la sécurité qu'il n'était pas un convive, mais le chevalier servant de Jessica.

Lorsqu'il la retrouva, il ne put détacher les yeux de sa silhouette. Elle était stupéfiante dans une robe rose poudré qui mettait en valeur sa peau laiteuse et rehaussait l'éclat de ses yeux bleu azur.

— Tu m'as manqué, lui dit-il dès qu'ils furent hors de portée d'oreille du personnel qui mettait la dernière main à la réception.

— Tu peux me croire si je te dis que j'aurais largement préféré rester à l'hôtel, répondit-elle en souriant.

— Et comment se comporte Owen ?

— Il me colle au train, il me régale sans cesse de commentaires sur ton inqualifiable grossièreté, et me suggère très peu subtilement que je devrais te flanquer dehors sans délai. En fait, je crois qu'il apprécierait que je te jette dans l'East

River avec un bloc de ciment aux pieds, mais rompre avec toi serait suffisant, je pense.

— Je dois reconnaître qu'il a au moins une qualité ton patron, la constance !

— Ça, c'est une évidence. J'aimerais seulement qu'il cesse d'être aussi constant dans ses allusions et ses manœuvres d'approche sans finesse…

— Je vais faire de mon mieux pour le tenir loin de toi, mais ça ne va pas être chose facile, dit-il en se penchant pour lui fourrer le nez dans le cou. Tu sens si bon.

Elle passa la main dans ses cheveux et ne résista pas à l'envie de les lui ébouriffer. Ils tournèrent la tête en même temps pour un baiser qui lui rappela la chance qu'il avait.

— Combien de temps devons-nous rester à cette fiesta ? demanda-t-il.

— Jusqu'à la fin.

— Et si j'actionnais l'alarme d'incendie d'ici une heure ou à peu près… ?

— Mignon, dit-elle en lui donnant un bref baiser sur la bouche. Très mignon, mais j'ai besoin que tu te conduises en gentil garçon. Pars plutôt à la recherche de mon patron et neutralise-le, d'accord ?

— Oui, madame.

— Je te retrouve dès que je peux.

— Super. Une chose, encore. Tu me dois une danse. Je n'ai pas eu la dernière, et je ne partirai pas sans l'avoir obtenue. Surtout sur cette magnifique piste tournante.

— Promis. Maintenant, il faut que je retourne travailler.

— Je sais. Mais pense à moi.

Elle effleura sa manche et prit l'air triste.

— Je n'ai fait que ça. Ce qui n'est pas bon pour mon travail. J'ai vraiment besoin de rester concentrée afin que cette semaine soit parfaite.

Il lui prit le menton et souleva son visage afin qu'elle le regarde dans les yeux.

— Alors je t'autorise à m'oublier jusqu'à ce que tu aies besoin de moi. Je n'y verrai pas d'inconvénient. J'attendrai le temps qu'il faudra.

— Merci, dit-elle. Mais tu n'es pas facile à oublier...

— J'essaye de toutes mes forces de comprendre à quel point c'est un problème. Non, je plaisante. Vraiment. Cet endroit est fantastique, tu es la plus belle femme de New York et tout le monde, en Amérique et dans le monde, va te sauter dessus pour acheter les produits New Dawn. Alors contente-toi de suivre le courant, mon amour. Tu seras parfaite.

Elle l'embrassa, mais cette fois-ci, elle prit tout son temps. Et quand elle s'éloigna, il dut lutter de toutes ses forces contre l'envie de la soulever de terre et de l'emmener quelque part où ils ne seraient que tous les deux. Rien que tous les deux. Mais ce moment n'était pas encore venu et, en attendant, mieux valait qu'il consacre son énergie à trouver Owen pour l'empêcher de nuire à celle qu'il espérait tenir plus tard entre ses bras.

Debout devant l'immense baie, Jessica n'eut pas un regard pour la vue spectaculaire qui s'offrait à elle. Elle regardait la piste de danse, les tables du banquet, les bars, la foule qui s'amusait. Elle devait admettre que c'était une soirée fichtrement réussie.

Le lieu étincelait. Les sols et les murs étaient richement colorés, d'immenses et hauts miroirs s'encastraient entre d'étroits pans de mur recouverts de satin ocre. La moquette vert émeraude s'harmonisait parfaitement avec le vert jade du tissu des fauteuils. Et l'immense chandelier suspendu au-dessus de la piste de danse reflétait les lumières.

La projection discontinue de diapositives sur l'écran géant installé au-dessus des musiciens était une des plus réussies qu'elle ait jamais vues et valait bien les interminables heures qu'elle avait passées à son montage. Et tout le gratin de Manhattan était présent. De là où elle était, elle apercevait John Travolta et sa superbe femme, Chris North, Barbara Walters, Kate Hudson, Gwen Stefani, Marla et Shawn, ainsi qu'une foule de fidèles du magazine *InStyle*. Cependant, aucun invité ne retint son attention ; elle n'avait d'yeux que pour un seul homme.

Debout au bout du bar, il la regardait. C'était l'homme le plus sexy de l'assemblée. Il leva vers elle son verre et en but une gorgée avant de le poser sur le bar derrière lui. Puis il se dirigea vers elle en se faufilant entre les danseurs, les mannequins, les journalistes, les serveurs. Plus il approchait plus le cœur de Jessica battait fort. Tout en lui, depuis la prestance que lui donnait son smoking jusqu'à la mèche rebelle qui retombait sur son front, sans compter sa manière de se mouvoir, sa grâce et son sex-appeal viril, lui donnait l'impression qu'elle le voyait pour la première fois.

Quand il la rejoignit près de la baie, il lui prit la main, la porta à ses lèvres pour un baisemain qui la fit frissonner.

— Je crois qu'il est temps que vous m'accordiez cette danse, demoiselle.

— Mais il n'y a pas de musique, objecta-t-elle en jetant un coup d'œil vers l'orchestre.

— Ce n'est qu'une question de secondes.

Jessica grimaça imperceptiblement. Il ne manquerait plus qu'elle se ridiculise, car elle savait que son sens du rythme était sérieusement limité. Elle pouvait conserver le tempo sur n'importe quel air de John Philip Sousa, mais sinon elle était une piètre danseuse. Mais ce soir, elle savait qu'elle n'y échapperait pas.

Ils se retrouvèrent sur la piste. Tout autour d'eux, la pièce bruissait de conversations et de rires. Mais rien ne vint troubler le cocon dans lequel ils se trouvaient.

Dan mit ses bras autour d'elle et l'attira à lui. Elle colla la joue contre son torse et se nicha contre son grand corps. Ils demeurèrent immobiles un instant, le temps pour elle de compter ses battements de cœur contre son oreille puis, comme par magie, son rythme devint le sien, son souffle devint le sien. Et l'orchestre entama la chanson de Hoagy Carmichael, *The Nearness of You,* qui parlait de la proximité de l'être aimé, un morceau si romantique qu'elle se sentit pousser des ailes. Il guidait, elle suivit, et la grâce s'empara de chacun de leurs mouvements.

En levant le menton pour le regarder, elle s'aperçut qu'il chantonnait tout bas. Qu'il connaissait toutes les paroles. Mais pas seulement cela. Elle comprit que chacun des mots qu'il chantait était une promesse qu'il lui faisait. Pour cette danse. Pour cette nuit. Pour…

14.

Quand ils rentrèrent à l'hôtel à 3 heures du matin, Jessica se sentait trop épuisée pour faire l'amour.

— Cela ne te dérange pas ? demanda-t-elle.

— Bien au contraire, répondit-il avant de l'embrasser, puis de lui effleurer la joue de la main. File dans la salle de bains.

Quand elle revint, il s'était déshabillé, ne conservant que son caleçon de soie grège. Il disparut à son tour dans la salle de bains après lui avoir déposé un tendre baiser sur les lèvres.

Le temps qu'il regagne la chambre, elle était déjà lovée sous les couvertures, nue. Normalement, elle dormait en chemise de nuit, mais elle voulait sentir la peau de Dan contre la sienne.

— T'ai-je dit à quel point je me suis amusé, ce soir, avec toi ? commenta-t-il en se glissant sous les couvertures près d'elle.

— Quelques fois, oui, opina-t-elle.

— Ai-je oublié de te dire que tu étais la plus belle femme de l'assemblée ?

— Euh, non.

Il se tourna sur le côté et passa un bras autour de sa taille.

— Et que je n'oublierai jamais la danse que nous avons partagée ? Que j'avais l'impression d'être Fred Astaire avec Ginger Rogers ?

— Tu plaisantes ? C'est toi qui sais danser, et moi je me demande le nombre de fois où je t'ai marché sur les pieds.

— N'importe quoi. Tu étais légère comme une plume.

— Et toi, tu racontes des balivernes.

Il prit une expression choquée.

— Tu me blesses.

— Tu survivras.

Il se pencha et embrassa son menton.

— Je crois que tu dois savoir une chose : s'il me restait dans le corps ne serait-ce qu'une once d'énergie, je te ferais immédiatement subir les derniers outrages.

— Et toi, tu dois savoir une chose : si j'étais capable de rester éveillée, je te laisserais faire.

Il l'embrassa de nouveau et ce baiser-là dura un peu plus longtemps. Quand il finit par l'interrompre, ils s'installèrent confortablement et s'endormirent, leurs corps nichés l'un contre l'autre comme deux cuillers rangées dans un écrin de velours.

En entrant dans la salle de presse du Willows, Marla trouva Jessica en grande conversation avec la rédactrice en chef de *Glamour*. Elle ne put s'empêcher d'admirer l'aplomb de Jessica, son aisance, sa vivacité d'esprit. Elle rêvait toujours de devenir aussi professionnelle, mais surtout aujourd'hui elle mourait d'envie de raconter à sa supérieure et amie ce qui s'était passé avec Shawn.

Le simple fait de penser à Shawn lui arracha un soupir.

— Qu'est-ce qui ne va pas ?

Surprise, elle fit volte-face et se trouva nez à nez avec Jessica.

— Pourquoi soupirais-tu comme ça ? Est-ce que tu vas bien ?

— Oh, oui. Merveilleusement bien.

— J'ai cru remarquer cela hier soir, commenta Jessica en souriant.

— Vraiment ? Tu nous as vus ? Enfin, je veux dire, tu as vu qu'il, disons, qu'il me parlait et qu'il est resté avec moi, comme si nous formions un couple… ?

— Oui, j'ai remarqué. D'ailleurs, je crois que ce serait une bonne idée qu'on s'installe au bar pour discuter de tout ça. Tu es partante ?

— Oh, oui. Tout à fait partante.

Dan acheva d'écouter ses messages téléphoniques puis ouvrit son ordinateur afin de vérifier ses e-mails.

Il décida également d'appeler sa mère pendant que le logiciel se mettait en marche.

— Bonjour, maman. Comment vas-tu ?

— Ton chat a fait pipi dans mes chaussures.

— Vraiment ? Faut dire que je l'ai entraîné pendant des mois. Donne-lui une friandise pour le récompenser de ses efforts.

— Très drôle. Maintenant, comment allez-vous, toi et ta petite expérimentation ?

— Super et super.

— Sans blague ? J'aurais cru qu'elle te jetterait après une deuxième nuit passée avec toi.

— Ta confiance en moi me touche vraiment, maman.

— Tu es vraiment le seul à t'imaginer que t'introduire en douce dans les pensées les plus secrètes d'une inconnue est une promenade de santé. Les pensées secrètes sont secrètes pour une raison bien précise. Souviens-toi de ce que disait Oscar Wilde : « Il n'est personne dont la vie sexuelle, si elle était exposée au grand jour, n'emplirait le monde de surprise et d'horreur. »

— C'était Somerset Maugham, maman. Bref, il n'y a rien d'horrible dans ce que fait Jessica. Surprenant, certes, mais absolument pas horrible.

— Oh, mon Dieu !

— C'est quoi ce commentaire ?

— Tu es tombé amoureux d'elle. Trois jours à peine, et tu es déjà amoureux.

— Ne sois pas ridicule. Je ne suis pas amoureux.

— Mais si. Et elle va te briser le cœur.

— Jamais de la vie.

— Ah, ah !

— Ne ris pas de moi, veux-tu ? Elle est très brillante, très perspicace, et elle éclaire le sujet d'une manière à laquelle je ne me serais jamais attendu.

— Ce qui veut dire, reprit sa mère d'un ton égal, que tu as cessé de lui poser des questions et que vous couchez ensemble aussi souvent qu'il est humainement possible.

Il ouvrait la bouche pour protester quand il lui apparut qu'elle avait raison. Il n'avait pas posé une seule question à Jessica depuis… vingt-quatre heures !

— Tu as raison.

— Ecoute, mon chéri. Que puis-je ajouter ? Tu as toujours d'excellentes intentions, mais dès qu'on en arrive aux femmes…

— Quoi ?

— Disons simplement que ton fameux détachement scientifique craque de partout.

— Tu ne comprends pas, maman. Elle est différente.

— Sûr.

— Non, vraiment. Elle fait un travail formidable dans cette campagne de marketing. Elle est concentrée mais pas obsédée, et elle s'est montrée d'une rare sincérité envers moi.

— Je comprends.

— Je connais ce ton dans ta voix, dit-il, un peu exaspéré. Tu présumes un tas de choses.

Seul le silence lui répondit à l'autre bout de la ligne. Puis, au moment où il s'apprêtait à s'excuser, sa mère le devança.

— Je te demande pardon. Tu as raison. Je n'ai aucun droit de te juger ainsi. Pour ce que ça vaut, mon petit cœur, je souhaite qu'elle soit tout ce dont tu as toujours rêvé.

— Je ne dis pas qu'elle l'est, répondit-il en détestant le ton défensif qu'il prenait. Je dis juste qu'elle est, tu sais bien, super.

— Bien. Et quand nous voyons-nous ?

— Quand ce sera fini. Le week-end prochain, je pense.

— Comme ça, ton chat aura la possibilité de faire pipi dans toutes mes autres chaussures.

— Exact. Et je lui ai aussi appris à faire pipi dans ton tiroir à chaussettes.

— Daniel !

— Je t'aime, maman. A bientôt.

Il raccrocha en souriant, mais son sourire ne dura cependant pas longtemps. Il se leva, alla à la fenêtre et regarda la rue en contrebas. Allait-il trop vite en besogne concernant sa relation avec Jessica ?

C'est vrai, il ne lui avait pas posé beaucoup de questions. Mais ce n'était qu'une affaire de temps, rien de plus. Il avait bien l'intention de les lui poser. Il n'avait absolument pas abandonné son projet, bien au contraire. N'avait-il pas visé droit dans le mille en constatant la peur de Jessica après leur première fois ? Il lui avait donné de l'espace, et elle était revenue le lendemain. Cela prouvait qu'il commençait à comprendre les femmes !

Il jeta un œil à sa montre et comprit également qu'il ferait mieux de passer en mode turbo s'il voulait arriver au bateau avant 17 heures.

Jessica termina son cappuccino. Cela faisait quarante minutes qu'elle écoutait Marla lui relater le moindre détail de sa relation avec Shawn, en commençant par la première rencontre, l'invitation à un brunch, la première danse la veille et tout le reste. Elle n'avait encore jamais vu son assistante aussi animée, aussi ravissante. Pas moyen de rester indifférente devant un tel état d'extase.

Pourtant, elle ne pouvait s'empêcher de se demander ce qu'il adviendrait de leur relation une fois la semaine terminée. Shawn était un mannequin célèbre qui avait devant lui un monde entier de femmes dans lequel faire son choix. Même si elle pensait que Marla était pour lui la meilleure, la plus douce et la plus intelligente, Shawn Foote désirait-il vraiment établir une relation durable avec elle ? En regardant Marla dont les yeux brillaient d'excitation et de joie, elle se dit que si Shawn s'avisait de faire souffrir son assistante, elle le poursuivrait au bout du monde et s'efforcerait de le blesser là où ça fait vraiment mal.

— Et il a dit qu'il veut que j'aille avec lui dans le Montana. Il envisage d'acheter le ranch mitoyen de celui d'Harrison Ford. Tu imagines ?

— Le Montana, hein ? répéta Jessica.

— Qu'est-ce qu'on pourrait ne pas aimer dans le Montana ? dit Marla. Je veux dire, les arbres, les chevaux, les vaches. Les créatures des bois. Les lapins !

— N'oublie pas les biches, la taquina Jessica.

— Oh oui, Bambi !

Jessica se retint de ne pas éclater de rire face à l'enthousiasme de Marla. Tout en comprenant parfaitement ce que pouvait ressentir son assistante. Elle se mit à sourire béatement, les yeux dans le vague, en pensant à Dan et à leur accord sexuel parfait. Son air rêveur n'échappa pas à son assistante.

— Ah, ah ! s'écria Marla en pointant le doigt sur elle.

— Quoi donc ?

— Je le savais ! Tu partages également le même sentiment avec ton beau Dan. Ça nous est arrivé à toutes les deux !

— Attends une minute, Marla, se récria-t-elle, sentant ses joues s'empourprer. Ce n'est pas ce que tu crois.

Marla écarquilla les yeux, et Jessica se rendit alors compte qu'elle venait pratiquement de reconnaître ce qu'elle avait cherché à garder secret.

— Ce n'est pas un vieil ami d'université, n'est-ce pas ? demanda Marla, conspiratrice.

Jessica conserva une expression aussi neutre que possible, en dépit de ses joues enflammées qu'elle ne pouvait cacher.

— Bien sûr que si.

— Oh. Je m'étais dit que c'était quelqu'un que tu avais amené pour que Crampon Owen te lâche les baskets parce que, euh... tu n'as pas de vie privée, reprit Marla avant de rougir à son tour. Excuse-moi, ce n'est pas tout à fait ce que je voulais dire.

— Ne t'en fais pas. Je ne suis pas vexée. Je travaille très dur à maintenir cette image.

— Pourquoi ?

— Parce que la vie privée embrouille tout.

— Hum, répondit Marla, laconique.

— Allez. Vide ton sac.

— Eh bien, je ne suis pas d'accord avec toi.

— Ah ?

— Veux-tu dire que ton bonheur dépend de ton travail ? Pourtant, c'est toi qui m'as dit un peu plus tôt que les sociétés n'ont de loyauté vis-à-vis de personne sauf vis-à-vis de leurs actionnaires et que ce qui compte, c'est le chiffre d'affaires ?

— Marla ? Va me chercher un autre cappuccino, veux-tu ?

— D'accord. Mais ensuite il faudra qu'on aille s'habiller. Tu n'as quand même pas oublié qu'on navigue, ce soir ?

— En effet, dit-elle, étonnée de ne pas avoir vendu la mèche concernant le « Projet Dan ».

Enfin, pas complètement.

— Dan sera là, n'est-ce pas ?

Elle se contenta d'un hochement de tête affirmatif.

— Oh, génial. Tu vas t'amuser.

Elle ne répondit rien, pas même quand Marla se leva et lui posa une main sur l'épaule. Et il lui vint à l'esprit que depuis le temps qu'elles travaillaient ensemble, c'était la première fois qu'elles parlaient de manière aussi intime. Etait-ce parce que Marla avait changé, ou parce qu'elle avait changé ?

*
**

Ce qui était sympa avec cette croisière, songeait Dan, c'était que Jessica n'en était pas responsable. Ce qui ne voulait pas dire qu'elle pouvait simplement rester assise et déguster un cocktail, mais elle n'avait pas à être sur le qui-vive toute la soirée.

Ce qui était désagréable dans cette croisière, c'était que Jessica n'était plus exactement la femme chaleureuse et pétillante qu'il avait quittée le matin même. Son attitude ressemblait fort à celle qu'elle avait eue le premier soir. Pourquoi ?

Pour sa part, il était fermement décidé à reprendre le droit chemin. Non qu'il soit résolu à ne plus lui faire l'amour, mais il avait bien l'intention de se concentrer de nouveau sur son projet.

— Puis-je vous servir un autre verre ?

Il leva les yeux vers la jolie serveuse. Physiquement, elle était à l'opposé de Jessica. Depuis les cheveux blonds jusqu'à la haute stature de son corps trop mince. Mais elle avait un sourire avenant et amical.

— Volontiers. Et apportez-nous également un whisky, je vous prie.

— Bien sûr, monsieur.

Elle se dirigea vers le bar, mais il la surprit par deux fois à se retourner vers lui.

Bizarre… Depuis qu'il avait rencontré Jessica, il avait remarqué que les femmes lui tournaient autour. Bien plus que d'habitude. En fait, il pouvait passer des semaines, des mois, sans avoir droit à ce genre de sourire. Mais chaque fois qu'il se trouvait quelque part avec Jessica, il devenait un aimant à jolies filles. Qu'est-ce que ça voulait dire ?

— Eh, dit Jessica, assise à la table face à lui.

Elle poussa un long soupir et repoussa ses cheveux derrière son oreille.

— Dis donc, je pourrais être transparente, vu le comportement de cette fille, ajouta-t-elle. Peut-être qu'elle n'aime pas les produits cosmétiques. Ou alors peut-être qu'elle ne m'aime pas.

— C'est absurde. Comme pourrait-on ne pas t'aimer ?

Elle le dévisagea un long moment. Il finissait par être inquiet quand elle lâcha tout à trac :

— Je m'en fous.

— Pardon ?

— Je me contrefiche que les gens m'aiment. Je ne comprends même pas pourquoi je dis ça. J'ai besoin qu'ils achètent les produits que je vends, un point c'est tout. Ou qu'ils en fassent la publicité, ou n'importe quoi qui me permette de réussir. Qu'ils m'aiment n'a rien à faire dans l'histoire.

Comme il n'était pas certain de ce qui avait amené ce sujet sur le tapis, il préféra ne rien répondre.

— Je ne veux pas non plus qu'on me déteste, entendons-nous bien. Ce que je voulais dire, c'est que ça n'a aucune importance. Je ne concours pas pour la médaille d'or de la popularité. Ce qu'elle pense de moi m'indiffère.

— D'accord, dit-il platement.

Elle lui lança un regard critique.

— Fais-moi plaisir, veux-tu, Dan ?

— Tout ce que tu voudras.

— Laissons tomber les démonstrations d'intimité en public, à moins qu'Owen soit dans le coin, O.K. ? Je dois garder le but de cette manifestation en tête et cela ne va pas arriver si je danse avec toi toute la soirée.

Ces paroles le frappèrent mieux qu'un soufflet. Il ne put que hocher la tête sans rien dire. Comme si c'était juste une autre journée de bureau. Comme si ce qu'elle éprouvait pour lui ne le concernait pas.

15.

Voilà qu'elle se trouvait au beau milieu d'une fabuleuse réception, pour laquelle elle n'obtenait que des commentaires dithyrambiques de la part de tous les médias présents, des accolades de tous les collaborateurs de New Dawn, des clins d'œil plus qu'appuyés de Revlon, de Chanel et d'Estée Lauder, et elle ne pouvait penser qu'à Dan.

Elle l'avait blessé sans le vouloir, mais à présent que le mal était fait, peut-être avait-elle *vraiment* voulu le blesser afin qu'elle puisse remettre sa vie dans l'ordre auquel elle tenait tant. Elle avait voulu sortir de cette relation avant d'avoir la tête à l'envers et surtout avant qu'ils ne deviennent plus intimes. Mais certaines choses ne peuvent être défaites, certains sentiments refusent de disparaître, elle s'en rendait compte maintenant.

Elle tourna les yeux vers Dan qui, debout au bar, jouait distraitement avec son verre. Il en avait déjà bu quelques-uns, un peu trop peut-être, mais elle ne se serait jamais avisée de le lui faire remarquer. Il l'avait prise au mot et s'était tenu loin d'elle, du moins tant qu'Owen n'était pas dans les parages. Lorsque c'était le cas, il agissait comme si rien n'avait changé. Il redevenait affectueux, charmant et possessif. Et elle devait admettre que c'était extrêmement agréable ! D'ailleurs, c'était tout le problème.

Pourtant, elle avait été tellement certaine de l'ingéniosité de son plan. Voir Dan de temps en temps, s'épuiser l'un l'autre dans la chambre et puis recommencer quelques mois plus tard... Mais sa discussion avec Marla avait fait apparaître comme un défaut dans son plan... même si elle n'arrivait pas vraiment à mettre le doigt dessus.

Son plan ne pouvait fonctionner que si Dan et elle n'attendaient pas trop l'un de l'autre. Seulement du sexe. Elle ne voulait rien de plus.

Les hommes se faisaient généralement une idée juste de la relation sexuelle, mais les femmes voulaient plus. Romantisme, sécurité, amour, engagement, avenir. Pourquoi ? Pourquoi n'était-ce pas normal de ne vouloir du sexe que pour le sexe ?

Pourtant, c'est tout ce qu'elle voulait. Pas d'espoirs, pas de rêves éveillés. Elle devait consacrer toutes ses pensées à sa carrière et à sa créativité. Elle voulait parvenir au sommet d'un marché extrêmement compétitif et pour y arriver, il n'y avait que le travail, le travail et encore le travail qui ne pouvait être accompli qu'en y associant la concentration, la concentration et encore la concentration !

Comment y parvenir alors qu'elle s'inquiétait déjà d'avoir blessé Dan dans ses sentiments ? Peut-être qu'en lui expliquant simplement pourquoi elle ne voulait pas plus que du sexe, il comprendrait ses raisons et ils ne seraient plus obligés de continuer à alimenter ces niaiseries sentimentales. C'était épuisant. Et ça l'empêchait de se concentrer sur l'essentiel.

Demain, quand ils jouiraient d'un peu d'intimité, elle lui expliquerait ses règles et verrait s'il voulait bien jouer. A sa manière.

— Dan ? Tout va bien ?

Il leva les yeux de son verre et découvrit Marla debout près de lui, si jolie dans une robe au décolleté flatteur.

— Tout va bien, répondit-il.

— Nous ne nous connaissons pas beaucoup, mais je crois deviner un mensonge flagrant.

Dan ne put s'empêcher de sourire devant cette constatation faite d'une si gentille manière.

— Ce n'est pas un mensonge flagrant, mais un mensonge partiel.

— Ah. Est-ce que vous aimeriez en parler ?

— Non.

— N'en parlons plus, alors.

— Sauf que, peut-être, vous pourriez m'aider.

Elle posa un coude sur le bar, un pied sur le rail, imitant à la perfection sa propre posture.

— Je vais faire de mon mieux. Allons-y.

— Qu'est-ce qu'elles ont, les femmes ?

Elle haussa les sourcils, se mordilla les lèvres, et le regarda sans sourire.

— Je ne sais pas. Est-ce que vous pourriez un peu rétrécir la question ?

Il porta son verre à ses lèvres, étonné de ne pas être encore complètement soûl. Généralement, il se limitait à deux verres, trois les mauvais soirs. Or il en était à son quatrième, et il était toujours, et à sa grande déception, parfaitement lucide.

— Rétrécir un peu ? O.K., essayons comme ça : pourquoi est-ce que les femmes trouvent normal de changer d'avis toutes les trente secondes ? D'abord c'est *oui*, et puis c'est *non*, ensuite c'est *peut-être*, et on revient au *oui*, et la seconde suivante au *jamais de la vie*. Est-ce que vous commencez à voir où je veux en venir, ou dois-je continuer ?

— Très clair, dit alors Marla en hochant la tête. Je connais bien le schéma.

— Alors ? Qu'est-ce que c'est, ce truc ? Pourquoi les femmes ne peuvent-elles pas dire *oui* et penser *oui* ?

— Parfois elles le font.

— Quand ? Quand, exactement, le font-elles ? Que diable faut-il pour qu'une femme pense ce qu'elle dit ? Je ne pige pas.

Elle lui tapota l'épaule.

— Ça doit être frustrant. Mais ne le prenez pas personnellement.

— Pourtant, ça me donne l'impression d'être fichtrement personnel.

— C'est quand une femme dit non et pense non qu'il faut alors s'inquiéter et le prendre personnellement, commenta Marla.

— Et dans ce cas, le rejet est définitif, si je comprends bien.

— Pratiquement tout le temps.

— *Pratiquement* ?

— Oui. Parce qu'il peut y avoir une nouvelle information qui change la donne et le comportement de la femme en question.

— Eh bien, dites-moi, c'est drôlement compliqué tout ça..., commença-t-il avant de s'arrêter net.

Il était peu désireux d'en dire plus sur la situation. Après tout, Jessica était la supérieure de Marla et la jeune femme n'était pas censée savoir ce qui se passait entre Jessica et lui.

Marla sourit d'un air entendu et continua :

— C'est toujours délicat parce qu'il y a une multitude de facteurs qui entrent en jeu. Quand une femme dit oui, généralement elle le pense. Mais quelquefois, elle se rend compte qu'elle a dit oui à autre chose que ce qu'elle pensait au départ, et alors là, elle n'est plus aussi sûre de son oui ! Et c'est là que le « peut-être » entre en jeu.

Marla fit une pause pour regarder Dan dans les yeux avant de reprendre :

— Mais quand une femme dit non, c'est très clair…

Voyant le regard paniqué de Dan, Marla ajouta précipitamment :

— … sauf quand le non est dû au fait que la femme est terrorisée par une situation nouvelle… elle ne veut pas vraiment dire non, c'est plutôt un peut-être ! Et dans ce cas, l'homme doit lui laisser du temps pour qu'elle comprenne qu'il n'y a pas de quoi avoir peur, et qu'elle ne va pas ruiner sa carrière si elle tombe amoureuse.

Dan hocha la tête. Il avait compris le message, surtout le couplet final.

— Et alors que doit faire l'homme ?

— Continuez à essayer ? répondit Marla, d'une voix plus aiguë.

— Mais quand devient-il stupide pour un homme de continuer à essayer ? Quand un homme sait-il qu'un non est un non et non pas un peut-être transformable en oui ?

— Là, je crois que je peux vous aider.

— Vraiment ?

— Il y a une espèce de oui, quand vous l'entendez, vous savez que c'est un oui pour toujours. Il est différent d'un oui peut-être et franchement différent d'un oui-non.

Dan plongea les yeux dans sa vodka. Peut-être était-il soûl, en fin de compte.

— Vous en êtes certaine ?

— Tout à fait. Alors ne vous faites pas de souci pour ça. Il faut du temps à une femme pour arriver au oui pour toujours.

Il n'osait pas la regarder mais continua d'étudier son verre.

— Et si je ne suis pas sûr d'être prêt pour un oui pour toujours ?

— Alors c'est bien qu'il ne soit pas encore venu. Contentez-vous d'être patient.

Elle lui effleura le bras.

— Elle en vaut la peine.

Il leva alors les yeux vers elle.

— Et moi, j'en vaux la peine ?

Elle se pencha et lui déposa un baiser sur la joue.

— J'aimerais le penser. Mais vous seul pouvez répondre à cette question.

— Où est votre homme ?

Aussitôt sa physionomie changea, illuminée de l'intérieur.

— Il est occupé avec un des photographes, mais il va venir me chercher quand il aura fini.

— Vous semblez fichtrement heureuse avec lui.

— Je le suis. Il est merveilleux. Intéressant, drôle, tendre, doux. Il a un tas de projets pour l'avenir, car il ne croit pas à tout ce bric-à-brac artificiel de la présentation de mode et tout ça. Je ne sais pas, il est juste…

Il lui sourit, ravi pour elle.

— Oui, je vois. Mais j'ai envie de dire : faites attention.

— Attention ? Impossible ! Faire attention, ça veut dire ne pas aimer. Ne pas ouvrir mon cœur. Et alors, je ne saurais jamais si j'ai fait le bon choix. Et je pourrais louper la seule chose qui pourrait bien être la plus importante de toutes.

L'orchestre recommença à jouer *String of Pearls* de Glenn Miller, et Marla s'éloigna. Il se prit à souhaiter que la soirée se termine enfin. Il avait besoin de temps pour réfléchir. Il aimait tant de choses en Jessica, mais cela voulait-il dire qu'il en était amoureux ? Sa mère avait-elle eu raison à son propos ? Il avait toujours été romantique, et ça lui avait joué des tours plus d'une fois. Peut-être était-ce encore la même vieille histoire. Peut-être ne voyait-il pas vraiment Jessica pour ce qu'elle était, mais comme un amalgame de ses désirs à lui.

Prendre un peu de recul était peut-être la chose à faire. Pourtant, il ne pouvait s'y résoudre. Il n'avait jamais été aussi équivoque vis-à-vis d'une femme.

Il ne voulait plus comprendre ce que voulaient les femmes. Il voulait seulement découvrir ce que voulait une femme bien précise. Mais comment allait-il y parvenir ?

La soirée se termina pour Jessica juste après minuit. Puisqu'elle n'était pas officiellement chargée de l'événement, elle n'était pas tenue de rester jusqu'à la fin.

Owen était bien entendu revenu la coller quand elle avait manifesté son désir de quitter la réception, mais Dan s'était de nouveau manifesté. Attentif, respectueux, charmant. Toutes les qualités dont elle pouvait rêver chez un amoureux.

Ils descendirent sur le ponton en se tenant le bras, leurs corps se frôlant à chaque pas. Et Jessica perçut le même frémissement d'excitation que depuis le jour où ils s'étaient rencontrés pour la première fois. C'était comme si, quand ils se touchaient, ils mettaient en rapport deux fils électriques dénudés. Aucun autre homme ne lui avait fait cet effet. Elle n'avait même jamais imaginé que c'était possible.

Ils atteignirent la rue et se mirent dans la file d'attente des taxis. Elle lui fit face.

— Qu'est-ce que tu aimes en moi ?

La question prit Dan au dépourvu.

— Est-ce un test ?

— Non. Vois-le comme une recherche. Allez, qu'est-ce qui t'attire ?

— Beaucoup de choses.

— Nomme-m'en cinq.

— D'accord, dit-il en étirant le mot. Voyons voir…

— Comment ? Pas une seule ne te saute spontanément à l'esprit ?

— Si, si… Donne-moi juste une seconde pour rassembler mes esprits, c'est tout.

— Et tu ne peux pas parler de mes qualités sous la couette.

Il fit grise mine.

— Oh, mais pourtant…

Jessica lui donna un coup de coude.

— Ah, vous les hommes…

— Je plaisantais, je plaisantais. Voyons. Tu es…

Elle recula d'un pas et attendit.

Le regard de Dan se fit tendre et il effleura la joue de la jeune femme du dos de la main.

— J'aime ta détermination, ton intensité. Tu es honnête, et tu n'hésites pas à dire qui tu es vraiment et ce que tu veux. Tu trouves toujours des solutions créatives à tous les problèmes, dit-il en désignant le bateau de la tête. Cette campagne est absolument brillante.

— C'est tout ? dit-elle, rembrunie.

— C'est tout ? répondit-il en éclatant de rire. Je viens juste de te décrire une femme extraordinaire !

— Mais en ce qui me concerne ?

— Je ne comprends pas.

Elle se détourna, embarrassée par un afflux soudain de larmes au bord des cils.

— J'aime penser que je suis sympa. Que j'ai le sens de l'humour. Tu sais, ces qualités humaines.

— Oh, Jessica, murmura-t-il en l'attirant dans ses bras. Tu es tout cela. Drôle et sympa, et tellement plus. Marla t'adore et veut à tout prix te ressembler. Je vois comment les gens te parlent, avec respect mais avec aisance. Tu n'intimides pas, tu fais tout pour que les gens se sentent les bienvenus, à l'aise. Même cette première fois où nous nous sommes rencontrés, dans ce bar, tu t'es montrée si désireuse de plonger dans mon projet insensé. Désireuse de t'ouvrir à un inconnu. Ne vois-tu pas à quel point tout ceci est remarquable ?

Jessica posa la tête contre le torse de Dan et c'est d'une voix étouffée qu'elle déclara :

— J'ai été si méchante avec toi ce soir.

— Non, tu ne l'as pas été. Tu as été franche, c'est tout.

— Tu sais, ce n'est pas ta faute. D'ailleurs, tu ne m'as jamais mis la pression ni exigé quoi que ce soit de moi.

— Oh, mais si ! Et je vais exiger bien plus encore. J'ai décidé qu'on avait besoin de revenir à notre arrangement initial. A savoir, te poser des questions, et tenir Owen à distance. Tu réponds à mes questions, et tu te concentres sur l'achèvement de cette semaine avec toute ton énergie et ta force. Quoi que je puisse faire pour t'y aider, je le ferai. Si cela signifie te laisser seule, alors O.K. tu n'as qu'à me le dire.

Elle leva le menton pour rencontrer son regard. Il ne ressemblait à personne qu'elle ait connu auparavant et pourtant elle avait l'impression de le connaître depuis très longtemps. Elle se hissa sur la pointe des pieds, tendit le cou, mais ne put atteindre sa bouche. Il était tellement grand et elle si petite ! Il sourit d'un air très doux, baissa la tête, et effleura ses lèvres des siennes.

Le choc de ce baiser tourbillonna une fois encore en elle, et pour la première fois dans sa vie, elle éteignit cette partie de son esprit qui analysait tout, qui soupesait chaque mouvement. Elle se contenta de l'embrasser.

Un garçon, une fille, un clair de lune. Un long baiser très doux et très enivrant.

Ils retournèrent à l'hôtel dans un silence confortable, serrés l'un contre l'autre.

Dan pensait vraiment ce qu'il avait dit, qu'il prendrait du recul et qu'il ne rendrait pas les choses plus compliquées qu'elles n'avaient besoin de l'être. Jessica avait assez à faire sans qu'il en rajoute.

Ils auraient du temps, plus tard, pour explorer leur relation et ce désir qu'il éprouvait pour elle. Pour l'instant, il allait apprécier ce qu'il avait et ne pas demander plus.

Une fois dans la suite, il l'escorta jusqu'à la chambre et referma la porte sur elle. Il se déshabilla rapidement dans la salle de bains, se brossa les dents et lui laissa la place libre. Elle en sortit alors qu'il dépliait le canapé. Et ce ne fut pas drôle de la voir lui souhaiter bonne nuit d'un petit geste de la main bien trop bref avant de refermer la porte derrière elle.

Mais c'était mieux ainsi. Il avait besoin de comprendre ce qu'il voulait vraiment, et Jessica aussi en avait besoin. Le sexe, même s'il était extraordinaire, ne faisait que compliquer les choses.

Il éteignit la lumière et se faufila entre les draps. Les mains derrière la tête, il contempla le plafond un bon moment sans rien voir dans l'obscurité. Ses pensées tournoyaient, et revenaient toujours vers la femme dont il n'était séparé que par une simple cloison. Pourquoi était-elle unique ?

Flûte. Impossible de trouver des critères objectifs.

Il ferma les yeux, désireux de dormir, sachant que le sommeil allait le fuir. Les minutes s'égrenèrent, la nuit se fit immobile et profonde. Il écouta le son de son propre cœur et tenta de le ralentir, mais sans aucun succès.

Puis il entendit le bruit de la porte de la chambre que l'on ouvrait. Tout le travail accompli sur ses battements de cœur fut irrémédiablement perdu alors que montait l'espoir. Elle allait probablement à la salle de bains, rien de plus. Sans compter qu'il avait été clair sur le fait de prendre du recul, et de mettre l'aspect sexuel de côté !

Le bruit de ses pas se perdit dans l'épaisse moquette ; il garda les yeux fermés jusqu'à ce qu'il sente un léger filet d'air sur sa joue. Il ouvrit les paupières et remarqua l'ombre de Jessica sur le mur.

Il tourna la tête, et la vit enfin, nimbée d'argent par le clair de lune. Elle se rapprochait lentement du lit, pas à pas, jusqu'à s'immobiliser à quelques centimètres du lit.

Enfin, il put voir son expression. Inquiète. Elle mordillait sa lèvre inférieure, les bras le long du corps.

Il rejeta les couvertures. Elle s'assit sur le rebord du lit.

— Je n'arrive pas à dormir, chuchota-t-elle.

— Allonge-toi à côté de moi.

— Tu avais dit que tu ne voulais pas.

— Je sais.

— J'ai dit que je ne voulais pas.

Il sourit, en sachant qu'elle ne pouvait pas le voir.

— Je sais.

— Mais je suis là.

Il tendit la main, attrapa la sienne et la pressa.

— Viens, dit-il.
— Tu es sûr ?
— Non, mais ce n'est pas grave.
— Et si c'était une grosse erreur ?
Il lui pressa de nouveau la main.
— Alors, nous l'aurons faite ensemble.
Elle hocha la tête, puis s'allongea près de lui. Il ferma les yeux, douloureusement conscient de la douceur de sa peau, de la manière dont sa hanche effleurait la sienne, de sa proximité, de son parfum.
— Tu sais qu'il y a un problème de fond avec ton projet, murmura-t-elle tout contre son oreille.
— Lequel, ma belle ?
— Le principe de base. Comment pourras-tu jamais comprendre les femmes alors que nous ne nous comprenons pas nous-mêmes ?
Il roula sur le côté et contempla son visage baigné d'ombres.
— Je ne te crois pas. Je pense que vous comprenez les moindres mystères de l'univers. Que vous connaissez tous les secrets du cœur. Vous n'avez qu'à écouter votre propre sagesse, c'est tout.
Elle posa la main sur sa nuque et l'attira vers elle.
— Et ça, c'est sage ?
Il lui répondit par un baiser.

16.

A l'instant où leurs lèvres se touchèrent, toutes les peurs de Jessica s'envolèrent.

Dan posa la main sur la ceinture de son kimono, qu'il dénoua sans effort, et la fit glisser ensuite lentement sur sa peau nue. Jessica eut l'impression que sans son contact elle aurait été incomplète. Tout ce qui l'avait perturbée diminua jusqu'à l'insignifiance alors qu'elle explorait sa bouche, qu'elle savourait son goût et qu'il lui caressait le ventre avec infiniment d'amour et de respect.

Elle tira sur le caleçon de soie et le fit descendre le long des cuisses musclées, mais ne put aller très loin. Il murmura d'une voix très douce qu'il devait aller chercher un préservatif avant de l'abandonner un instant très court mais qui parut à Jessica une éternité. Lorsqu'il revint se recoucher près d'elle, il était aussi nu qu'elle.

Il baissa la tête et l'embrassa encore, mais juste une seconde. Il se tourna afin de lui mordiller le menton et chuchota contre sa peau :

— Je ne comprends rien à ce que je ressens quand…

— Je sais, répondit-elle. C'est dingue. Mais c'est tellement…

— Hon, hon.

Il lui donna un petit coup de langue sur le menton, le mordilla, puis passa à son cou et le parsema de baisers tout en murmurant des sons inarticulés très doux, et elle perçut la chaleur de son souffle, le contact de sa langue, la morsure de ses dents.

Puis il referma la main sur un sein, et elle perdit toute notion du temps quand il entreprit de le caresser, avec tellement de douceur et de légèreté qu'elle se serait crue dans un rêve.

Mais tout en elle voulait plus.

— S'il te plaît, l'implora-t-elle, se pressant contre lui. Ne me fais pas attendre.

Il leva la tête et la regarda. Il faisait noir, et son visage dans l'ombre ne lui permettait pas de le distinguer clairement.

Il ne dit rien et se plaça au-dessus d'elle, lui écartant les genoux pour se nicher entre eux. Puis il trouva ses mains et y entremêla ses doigts. Il lui leva les deux mains au-dessus de la tête et referma une seule de ses mains sur ses deux poignets. Elle voulut se dégager mais il tint bon.

— Que… ?

Le gloussement qu'il émit alors provoqua tout un tas de réactions dans son corps. Elle tenta de gigoter, mais il la tenait si bien captive qu'elle put à peine remuer.

Il écarta plus ses jambes et posa sa main libre sur son sexe. Puis il introduisit un doigt en elle, lui arrachant un gémissement de surprise. Aussitôt, il recouvrit sa bouche de la sienne alors que son doigt allait et venait en elle.

Et il n'y eut rien de délicat ni de courtois dans sa manière de la caresser. Sa langue et son doigt se mouvaient au même rythme, presque brutal, ne lui laissant d'autre choix que de se soumettre au plaisir, de s'abandonner à ce que Dan avait en tête.

Son corps se tendit alors qu'il dévorait sa bouche, ses doigts s'enfoncèrent une autre fois en elle puis laissèrent la place à son sexe tendu, dur, qui l'emplit complètement. Elle gémit une nouvelle fois et cambra le dos pour venir à sa rencontre.

Il la prit rudement, plongeant et replongeant frénétiquement en elle. Le gentleman qu'elle avait connu avait laissé la place à un véritable prédateur, à la sensualité animale.

Elle frémit sous lui, tellement emportée par l'excitation et la conscience de lui qu'elle pouvait à peine respirer. Elle s'entendit gémir. Elle tenta de libérer ses mains, même si elle n'avait aucune envie d'être libérée. Son corps lui appartenait plus que jamais, même sous les coups de boutoir inhabituels et saccadés du sexe de Dan.

— Mienne, murmura-t-il, bourru.

Et son ton n'admettait aucune réplique, il prenait possession de son corps, de son esprit, de son âme.

Elle enroula les jambes autour de ses hanches et lui rendit coup de reins pour coup de reins, leurs deux corps se percutant comme les vagues sur un récif.

L'orgasme la saisit de manière soudaine, si brutalement qu'elle ne put que s'y abandonner. Elle resserra ses jambes autour de lui et il atteignit à son tour la jouissance.

Il finit par relâcher ses poignets et s'écroula sur elle, hors d'haleine. Et cela ne dérangea nullement Jessica. Elle voulait sentir sa poitrine voilée de transpiration qui se soulevait rapidement, elle voulait qu'il reste ainsi en elle.

Plus tard, il poussa un profond soupir et l'embrassa au coin des lèvres. Le gentil Dan était de retour, mais elle savait maintenant qu'il y avait un autre côté en lui, plus sombre, plus rude, et elle n'aurait su dire lequel elle préférait.

— Je n'ai pas envie, dit-il, mais il va falloir que je le fasse quand même.

— S'il te plaît, non, gémit-elle.

— Il le faut. J'ai une crampe dans la jambe.

— Pauvre lapin, dit-elle en lui embrassant la joue.

— C'est de faute, aussi, dit-il en roulant à côté d'elle.

Jessica se sentit vide et privée de toute chaleur.

— Comment ça, c'est ma faute ?

— Tu me rends dingue. Je n'ai plus aucun contrôle sur moi quand tu es dans le coin.

— Ce n'est pas moi. C'est toi.

— Jamais de la vie. Je sais que c'est toi.

— Comment ?

Il tourna la tête pour la regarder.

— Parce que ça ne m'est arrivé avec personne d'autre.

— Oh.

Il secoua la tête.

— Je ne sais pas quoi faire avec toi.

— Moi non plus.

— Je continue à penser que le mieux serait de te laisser tranquille. De revenir au point de départ et de me concentrer sur ma recherche. D'être possessif dès qu'Owen est dans les parages, et puis de m'éloigner.

— Cela me paraît une bonne idée.

— Mais ensuite on se retrouve seuls, et je ne peux plus penser à ma recherche.

— Je ne peux pas me permettre de gâcher une seule pensée. Il me reste deux jours pour terminer cette campagne et je dois tenir bon. Elle représente tout ce pour quoi j'ai travaillé si dur, et mon avenir est directement lié à son issue. Mais qu'est-ce que je fais ? Je passe chaque minute libre à penser à toi.

— C'est un problème, en effet, se moqua-t-il, laissant un doigt courir entre ses seins.

— Je ne plaisante pas.

Il roula sur le flanc et cala la tête dans son coude.

— Qu'est-ce qu'on va faire ?

— Je n'en ai aucune idée.

— On pourrait essayer encore. Revenir au marché de départ. Je veux dire, regarder mais pas toucher. Questions, réponses, c'est tout.

— D'accord, mais cela ne va pas être facile.

— Tu l'as dit. Mais nous sommes adultes. On devrait pouvoir réussir à mater nos instincts animaux pendant deux jours.

— Vrai. Surtout maintenant qu'on a, euh…

— Sorti la grande artillerie ?

Elle sourit avant de continuer :

— Bon, alors on fait comme ça. Tu dors ici et je dors là-bas. On parle, mais c'est tout. Ça va être génial, non ?

Elle roula sur le flanc face à lui et prit la même posture que lui.

— On va être des modèles de bienséance, ajouta-t-elle en souriant.

— Platoniques.

— Et pourtant attentionnés.

— Mais tu sais, on vient juste de gâcher la soirée de ce soir, ma belle.

— Techniquement, tu as raison.

— Alors voilà ce que je pense : finissons-en avec la relation sexuelle une bonne fois pour toutes, ce soir. Ensuite il nous sera plus facile de jouer les parangons de vertu…

— Eh bien, je comprends pourquoi tu as autant de succès dans ton boulot. Tu vois tout de suite le problème dans son ensemble.

— Exact, c'est ma manière de fonctionner.

— Dans ce cas, je me disais qu'après être allée me chercher un verre d'eau, et peut-être aussi manger un fruit, on pourrait se retrouver dans la chambre.

— Ah. Changement de décor.

Elle sourit.

— Eh bien, tu ne voudrais pas qu'on laisse quoi que ce soit de côté, non ?

— Tu es aussi organisée que moi, toi, dis donc !

— Bon, alors, c'est une affaire réglée. Je vais boire et manger un petit morceau.

— Moi, je vais à la salle de bains et puis je te rejoins.

Elle se pencha et l'embrassa.

— Super.

— Je n'ai rien à ajouter.

Il se réveilla et trouva un morceau de papier sur l'oreiller à la place de la tête de Jessica.

« Je suis allée au Rockefeller Center pour tout préparer pour le jeu de piste. Devrais être de retour aux environs de 13 heures. »

C'était tout. Un mot laconique et gentil, sans absolument aucune mention de la nuit qui s'était achevée alors que le soleil perçait derrière les stores.

Allongé dans le lit, il se demanda s'il allait se lever, s'habiller et descendre à la salle des petits déjeuners. Il finit par décider de ne pas bouger et d'appeler le service en chambre.

Il savait qu'Owen serait avec Jessica au Rockefeller Center, mais vu son état, il ne serait d'aucune utilité tant qu'il ne se serait pas repris en main.

Jessica lui avait expliqué que cette manifestation, qui devait commencer à 8 heures ce matin, allait durer toute la journée. Tous les vainqueurs d'un concours écrit, presque une centaine, allaient participer à une chasse au trésor. Ils devraient localiser un site de Manhattan d'après sa longitude et sa latitude, y découvrir un indice sur le suivant, et ainsi de suite pour finir au lac de Central Park où l'heureux gagnant recevrait une mallette complète de maquillage — New Dawn, bien évidemment — et une croisière pour deux personnes en Jamaïque. Tout cela filmé par autant de chaînes d'informations ou de divertissement que Jessica avait réussi à faire venir.

C'était vraiment une idée de génie, mais la logistique de l'événement s'était avérée un véritable casse-tête. Il savait que tous les indices étaient en place depuis la semaine précédente.

Il avait promis à Jessica d'être là, à son bras jusqu'à la fin de ce grand cirque publicitaire, et c'était ce qu'il allait faire. Quant à son projet de recherche, il ne savait plus comment l'aborder. Les questions qu'il avait préparées ne lui semblaient plus pertinentes pour un sou. Il n'avait aucune idée de ce qu'il pourrait bien demander à Jessica pour mieux la comprendre. Tout lui paraissait un précipice infranchissable. Ses sentiments à lui, les siens, leur relation, s'il pouvait appeler ainsi ce qu'ils vivaient depuis le début de la semaine. Peut-être que s'il savait ce qu'il attendait d'elle, ça l'aiderait un peu, mais il n'en avait pas la moindre idée !

Bien sûr, il savait deux ou trois choses : il voulait la revoir. La revoir souvent. Poursuivre ce qu'ils avaient commencé. Lui faire l'amour. Apprendre où elle vivait, comment elle vivait, apprendre tout de son passé.

Mince, il voulait beaucoup de choses, et presque aucune de ces choses n'avait un quelconque rapport avec son projet de recherche.

Revenir au point de départ ? Jamais il ne pourrait la quitter. Elle était devenue bien trop importante pour lui. Vitale, même. Il ne pouvait songer à un avenir sans elle, sans un sentiment d'oppression dans la poitrine.

Jessica avait éveillé quelque chose en lui. Aucune autre femme ne l'avait affecté de cette manière, et il avait l'impression persistante qu'aucune autre femme ne le ferait jamais. Elle était l'étincelle qui allumait son feu. Peut-être était-ce cela, l'amour. On devait errer sans but jusqu'à ce que votre cœur soit éveillé par une personne sur Terre, la seule personne capable de vous insuffler chaleur et amour.

Il tressaillit sous l'impact de cette réflexion. L'amour ? Il ne connaissait Jessica que depuis quelques jours à peine. Pas suffisamment longtemps pour pouvoir parler d'amour. Mais si ce n'était pas de l'amour, de quoi s'agissait-il ? L'aspect sexuel ne couvrait pas tout. Il en faisait partie, mais n'était pas le tout. Il avait désiré des femmes auparavant, parfois au risque de sa santé physique et mentale. Mais cela n'était rien comparé à ce qu'il éprouvait maintenant. Il ne pouvait supporter l'idée de Jessica avançant dans la vie sans lui.

Hélas, il avait le pressentiment distinct et très inconfortable qu'il n'en allait pas de même pour elle.

Ce qui signifiait qu'il était dans la panade. Sauf s'il arrivait à trouver le moyen de s'en sortir.

Dans les deux jours à venir.

Très exactement.

— A vos marques, prêts, partez !

Jessica regardait les concurrents partir en sprint sur la

plazza du Rockefeller Center. Ils filaient tous vers l'est et le premier indice. Des centaines de caméras vrombissaient comme un nid de guêpes alors que des photographes immortalisaient le moment sur la pellicule et qu'autant de journalistes noircissaient leurs blocs-notes. On lui avait appris dans la matinée que les ventes des produits New Dawn avaient triplé ces derniers jours à New York et dans ses environs.

Sans nul doute, la campagne publicitaire pour le lancement de New Dawn était un vrai triomphe. Déjà, Bloomingdale's, Saks, Barney's et des centaines d'autres points de vente affichaient des chiffres de vente records. Tout son travail depuis plus d'un an avait porté ses fruits et elle savait déjà que la semaine suivante, elle allait crouler sous les offres d'emploi de firmes de marketing et de cosmétiques prestigieuses.

Elle aurait dû se sentir sur un petit nuage. Au lieu de cela, elle avait une migraine carabinée et un désir pressant de s'accaparer le premier prix — la croisière à la Jamaïque — pour elle-même.

A côté d'elle, Marla, appuyée contre la camionnette publicitaire New Dawn, la regardait, une expression soucieuse sur le visage.

— Tu veux qu'on en parle ?

Jessica secoua la tête.

— Je ne pense pas, non.

— Quand devons-nous être à Central Park ?

— Dès 16 heures.

— O.K. On se voit là-bas, donc.

Mais Marla ne bougea pas d'un pouce et continua à la dévisager.

— Marla, tout va bien. Je vais bien.

— Tu n'as pas bonne mine, pourtant.

— Prie le ciel que personne travaillant pour New Dawn ne t'entende dire cela ! Je me suis maquillée avec leurs meilleurs produits…

Marla gloussa et se rapprocha.

— C'est Dan, n'est-ce pas ?

Jessica fut surprise par la question. Depuis le temps qu'elles travaillaient ensemble, son assistante ne lui avait jamais posé de questions personnelles. Elle ne l'y avait jamais autorisée. Le temps était peut-être venu pour se confier… Elle poussa un énorme soupir et répondit enfin :

— Oui, c'est à propos de Dan.

Marla la prit par le coude et l'entraîna vers la cafétéria voisine.

— J'achète les cafés, dit-elle. Toi, tu parles.

Une fois qu'elles eurent trouvé une table près de la sortie, Jessica se décida à ouvrir la bouche.

— Je ne sais pas, dit-elle finalement. Les choses se compliquent passablement.

— Comment ça ?

Elle étudia son assistante et comprit que Marla aurait pu être depuis un moment bien plus que son bras droit. Elle aurait pu être une amie. Sa carrière n'en aurait pas été menacée pour autant et la campagne pour New Dawn serait toujours un franc succès. Et aujourd'hui, elle ne se sentirait pas aussi effroyablement seule.

— Tu avais raison à propos de Dan, reprit-elle avec un gros soupir. Ce n'est pas un vieil ami de fac.

Marla ne répondit rien. Elle se contenta de poser son gobelet sur la table devant elle.

— C'est l'ami d'un ami. Je l'ai embauché pour jouer le rôle de mon petit ami. Tu comprends pourquoi, je n'ai pas besoin de te faire un dessin.

— Seulement maintenant, commenta Marla, tu aimerais bien qu'il devienne réellement ton petit ami.

Elle tressaillit.

— Non, pas du tout. Enfin je ne pense pas. Non, je ne crois vraiment pas. Je ne peux pas m'engager dans une relation. Cela va contre… ce serait une erreur absolue. Chaque femme que je connais dans le travail a eu à choisir entre amour et véritable succès. Je ne veux pas avoir à faire le même choix.

— Amour ?

Elle sentit le sang affluer à ses joues.

— C'était une manière de parler.

— Exact.

— Non, je ne l'aime pas. Du moins je ne pense pas l'aimer. C'est juste que…

— Tu ne peux pas arrêter de penser à lui ? Tu as l'impression d'être une tout autre personne quand il est près de toi ? Tu veux tout partager avec lui ? Les aliments n'ont plus de goût si tu ne les partages plus avec lui ?

Jessica pouffa.

— Un truc dans le genre, oui.

Marla se pencha en avant et effleura son bras. Un simple petit geste différent de leur précédente relation, et pourtant, en cet instant, elle lui fut tellement reconnaissante de cette gentillesse qu'elle en fut déchirée.

— Jessica, le travail, ça va, ça vient. Mais perdre quelqu'un comme Dan…

— On ne peut pas simplifier comme ça.

— Si. Si tu le veux vraiment.

Jessica contempla son café, écartelée par des sentiments qui bouillonnaient en elle, et la perturbaient comme rien encore ne l'avait jamais fait.

— Je ne sais pas. J'imagine que je devrais trouver un moyen de les avoir tous les deux, lui et ma carrière.

— Alors, fonce, dit Marla. Tu mérites le bonheur, Jessica. Pas seulement le succès.

— J'ai toujours pensé que le succès *était* le bonheur.

— Oh, Seigneur ! dit son assistante en se laissant aller contre son dossier de chaise. C'est un peu triste tout ça, tu ne crois pas ?

17.

Jessica ralentit le pas dans le couloir menant à sa suite. Car si elle avait vraiment envie de voir Dan, elle n'avait toujours pas défini la meilleure manière de lui exposer son grand plan et de lui demander d'y adhérer.

Le mieux était de le faire mine de rien, mais elle ne voulait surtout pas qu'il ait l'impression que n'importe quel homme ferait l'affaire. Il était cependant essentiel qu'elle n'ait pas l'air trop désespérée ni pressante. Si son plan devait fonctionner, il fallait qu'ils le veuillent tous les deux. Cela leur demanderait un gros effort de coordination, et tout le système s'écroulerait si Dan avait le sentiment de ne pas obtenir assez de son temps, de son attention. Elle allait devoir décrire avec une certaine passion les bénéfices d'une liaison intermittente. Il pourrait se sentir parfaitement libre de ses mouvements quand il se lancerait dans une nouvelle recherche ou un nouveau poste de consultant, ou s'il avait envie d'escalader l'Everest. Elle ne serait ni jalouse ni possessive. Il pourrait faire tout ce qui lui passait par la tête, et quand ils le jugeraient bon, ils se retrouveraient pour ce qu'ils voulaient tous les deux : une semaine étourdissante de félicité absolue. Puis ils reprendraient chacun leur route jusqu'à la prochaine fois.

Formidable tout ce qu'ils auraient à se raconter s'ils ne se voyaient pas jour après jour. Ce serait un peu comme Noël plusieurs fois par an. Tout serait neuf, frais, et excitant. Entre-temps, ils pourraient pleinement profiter des bénéfices du célibat, n'auraient pas à se préoccuper de l'heure du dîner ni de devoir assister à une soirée de clientèle totalement barbante mais nécessaire pour leur boulot.

Quand elle y réfléchissait, elle ne pouvait trouver meilleur arrangement au monde. Elle croisa et recroisa les doigts dans l'espoir d'arriver à le convaincre. Elle le convaincrait. Elle avait œuvré pour pousser les Etats-Unis à acheter les produits New Dawn, et selon toutes les sources dignes de foi, elle avait déjà réussi. Si elle était parvenue à convaincre un pays entier, alors convaincre un homme devait être du gâteau, non ?

Elle atteignit finalement la porte, inséra sa carte magnétique dans la serrure et entra.

— Coucou ?

Pas de réponse. Dans son mot, elle avait écrit qu'elle serait de retour aux environs de 13 heures, et il était presque 14 heures. Dan avait dû finir par s'ennuyer et sortir déjeuner.

Elle se détendit et posa son attaché-case. Ce qu'il lui fallait maintenant, et de toute urgence, était un bon bain. Un grand bain. Un grand et long bain qui lui friperait la peau de partout et concourrait à son bien-être. Une sieste serait peut-être encore plus idéale, mais elle ne se faisait pas confiance pour arriver à se relever ensuite. Non, un bain serait infiniment mieux.

Elle s'en fut donc dans la salle de bains et fit couler l'eau dans l'immense baignoire après avoir ajouté du bain moussant. Il y avait toute la place pour barboter à l'aise. A deux éventuellement. La direction fournissait même un oreiller rembourré en tissu-éponge et des bougies parfumées au lilas.

Il ne lui manquait que son téléphone portable, mais si quelqu'un avait le culot de l'appeler pendant son bain, elle lui tordrait sans hésitation le cou. Cependant, elle devait être techniquement joignable, alors...

Elle se déshabilla lentement et, en petite culotte, releva ses cheveux et les fixa avec une pince sur le sommet de sa tête. Elle songea un instant à se faire un masque, mais si Dan revenait entre-temps, elle ne tenait pas à ce qu'il la prenne pour un danseur de Kabuki.

La pensée qu'il puisse la rejoindre dans cette immense baignoire lui donna la chair de poule d'anticipation, même si, franchement, elle avait besoin de repos. C'était elle qui déciderait où et quand. Pas besoin de s'en préoccuper pour l'instant, ni de rien d'autre, d'ailleurs.

Elle enleva son dernier vêtement, le jeta dans le panier à linge sale, alluma les bougies et arrêta les robinets, ravie par l'épaisseur de la mousse flottant à la surface. Tout en soupirant déjà de bonheur, elle testa la température de l'eau du bout du pied. Constatant qu'elle n'allait pas finir ébouillantée comme une vulgaire écrevisse, elle grimpa dans la baignoire, s'accroupit et se laissa glisser dans l'eau jusqu'au cou.

Elle cala sa nuque de manière confortable sur le coussin rembourré, soupira une fois de plus et ferma les yeux, l'esprit en paix et le corps alangui.

Elle dut s'endormir, car le bruit de la porte que l'on ouvrait l'éveilla en sursaut. Elle sourit, s'enfonça encore un peu plus dans l'eau, et se dit qu'elle n'avait pas dû somnoler longtemps, puisque le bain était encore très chaud et que la mousse n'avait pas disparu.

— Salut, dit-elle sans ouvrir les yeux. Je suis tellement contente que tu sois là.

Dan ne répondit rien, mais elle entendit le doux bruissement de ses vêtements tombant sur le sol carrelé.

Elle frémit sous sa couverture moussante, anticipant la merveille qu'allait être un bain pris avec Dan.

Elle ouvrit les yeux, languide, et les porta directement sur la partie qui l'intéressait pour l'instant.

Alors, dans un éclair horrifié, elle se rendit compte que ce n'était pas celle qu'elle escomptait.

C'était celle d'Owen, vêtu d'un minuscule slip rouge trop petit d'où débordait son ventre proéminent. Il lui sourit comme s'il était Brad Pitt, et elle aurait éclaté d'un rire sardonique si elle n'avait pas eu aussi peur.

Elle posa prestement la main sur son portable et, sans regarder le clavier pour ne pas attirer l'attention de son patron, pressa la touche de rappel automatique. Puis elle lui dit, calmement :

— Qu'êtes-vous en train de faire, Owen ?

— Je sais tout sur votre petit ami.

— Oh.

Il vint se placer à côté de la baignoire et, l'espace d'une épouvantable minute, elle craignit qu'il n'y grimpe pour la rejoindre. Mais il s'assit sur le rebord et croisa nonchalamment les jambes, comme s'ils se trouvaient dans le Manhattan Ocean Club au lieu de sa salle de bains.

— Oh, oui, je sais toute l'histoire.

— Et que savez-vous ?

— Que vous avez loué ses services. Que c'est un acteur. Qu'il n'est rien pour vous.

— Et pourquoi croyez-vous que j'aurais fait cela, Owen ?

— Parce que vous avez peur.

— De quoi ?

Il se pencha légèrement vers elle.

— De moi.

— Et pourquoi aurais-je peur ? Parce que vous vous êtes introduit de force dans ma suite alors que je prends un bain ?

Owen se contenta de rire.

Elle bénit intérieurement New Dawn pour la qualité de la mousse qui continuait à la cacher à son regard vicieux, et pria également pour que son petit stratagème ait fonctionné. Elle ne s'était jamais rendu compte qu'Owen était aussi obsédé par elle. S'imaginait-il vraiment qu'elle voulait de lui ? Que surgir dans sa salle de bains en slip allait lui suffire à emballer l'affaire ?

— Je sais que tu as perçu ce… ce truc entre nous, dit-il. Je sais aussi que tu penses que cela ne pourra pas marcher à cause de ma femme, mais il faut que tu comprennes. C'est sûr, ma femme est sensationnelle, c'est une personne fabuleuse, mais cela fait bien longtemps que l'amour a disparu du tableau.

— Est-ce qu'elle sait ce que vous pensez, Owen ?

— Bien sûr qu'elle le sait. Elle est très heureuse dans son rôle de maman au foyer. Elle se moque de ce que je fais de mon temps libre. En fait, elle est ravie de ne pas m'avoir dans les pattes.

— Alors, vous lui avez parlé de nous ?

— Bien sûr, bien sûr.

Il se leva, et le cœur de Jessica s'affola dans sa poitrine. Peut-être devrait-elle hurler, mais qui l'entendrait si son appel téléphonique n'avait pas fonctionné ? Dans cet hôtel, les murs étaient de vrais murs à isolation phonique pour que la clientèle puisse se reposer en paix. Quelle ironie !

— Pourquoi ne pas en discuter, Owen ? Dans le salon. Allez-y et je vous rejoins dans cinq minutes. Il faut juste que je me rafraîchisse un peu.

— N'en fais rien, Jessica. Tu es parfaite comme tu es.

Elle se recroquevilla le plus possible, mais s'il faisait le moindre geste dans sa direction, elle allait devoir faire quelque chose. Hurler ne servirait à rien, mais peut-être pourrait-elle attraper le porte-bougie en bronze et lui en coller un bon coup sur le crâne.

Elle tourna les yeux vers la porte en priant pour qu'elle s'ouvre.

— J'ai bien peur que vous n'ayez mal compris quelque chose, Owen, dit-elle. Où êtes-vous allé pêcher l'idée que j'avais embauché Dan ?

— Ce matin, quand tu es allée boire un café avec Marla, j'ai tout entendu.

Elle se mit à rire, mais son rire sonna horriblement faux à ses oreilles.

— Vous avez entendu des phrases sorties de leur contexte. Je n'ai pas…

— J'ai entendu chacun des mots que tu as prononcés, Jessica. Ce type est un gigolo, rien de plus. Tu n'éprouves absolument rien pour lui. Je t'ai entendu le dire à Marla.

A ce moment-là, la porte fut ouverte à la volée sur Dan, flanqué de deux malabars en costume sombre.

— C'est drôle, dit Dan, on ne m'avait encore jamais traité de gigolo.

Owen se leva d'un bond et joignit les mains devant ses parties intimes.

— Eh, qu'est-ce que vous faites ici ? s'écria-t-il.

Dan brandit alors son téléphone portable.

— Nous avons tout entendu. Surtout la partie concernant le fait que vous vous êtes introduit de force dans la suite et la salle de bains de votre employée. Vous allez bientôt savoir à quel point les slips rouges sont populaires à la prison de Rikers Island.

Owen cilla, comme si tout ceci n'était qu'un mauvais rêve. Les deux agents de sécurité de l'hôtel marchèrent sur lui.

Dan fit un pas à l'intérieur de la pièce et fit un clin d'œil à Jessica.

— Ne t'en fais pas, mon cœur. La police l'attend au rez-de-chaussée.

Puis il se tourna vers Owen et le regarda d'un air mauvais.

— Je suis impatient de lire ce que le *New York Post* va écrire à propos de toute cette histoire.

— Mes vêtements, dit Owen alors que chaque agent le prenait par un bras. Savez-vous qui je suis ? Je suis un homme très important. Je peux vous montrer mes papiers d'identité si vous me laissez attrap…

Dan referma la porte à la volée derrière le trio, puis tourna vers elle un visage creusé d'inquiétude.

— Tu vas bien ?

Elle hocha la tête, même si tout son corps était pris de tremblements incontrôlables.

Il attrapa un drap de bain et le déploya devant la baignoire. Elle se leva et se laissa enfermer dans le tissu-éponge par ses bras forts. Il l'étreignit contre lui et lui frictionna le dos à travers la serviette.

— J'ai tout entendu, lui confia-t-il. J'étais descendu boire un café au rez-de-chaussée.

— Dieu merci. J'ai eu peur que tu ne sois sorti plus loin.

— Ce salaud va payer pour ce qu'il t'a fait.

— Je me contrefiche qu'il paye, mais je vais m'assurer que le président de la boîte entende parler de lui. Les seuls pour lesquels je suis navrée, ce sont sa femme et ses enfants.

Il s'écarta un instant pour la regarder.

— Il ne t'a pas touchée, n'est-ce pas ?

Elle secoua la tête de droite à gauche.

Il sourit, l'embrassa, puis la serra de nouveau contre lui.

— Je suis heureux que tu m'aies fait confiance pour te porter secours.

Elle ne répondit rien, mais le regarda d'un air incertain.

— Viens, dit-il, allons te mettre au lit. Tu as besoin de te réchauffer.

— Je ne peux pas. Il faut que j'aille à Central Park.

— Marla ne peut pas s'en occuper seule ?

— Pas sans Owen sorti du tableau.

Il la lâcha à contrecœur. Elle n'aurait pas dû avoir à travailler, pas après ceci. Mais il se dit qu'il allait appeler les policiers pendant qu'elle se préparait et leur demander les preuves dont ils avaient besoin pour faire accuser Owen de harcèlement. Il fut presque désolé d'avoir amené les deux agents de sécurité avec lui. Il aurait donné n'importe quoi pour se retrouver seul cinq minutes en tête à tête avec ce Casanova de pacotille.

Jessica entra dans sa chambre, étonnée de constater qu'elle tremblait encore. Pourtant, rien de grave ne lui était arrivé. Elle n'avait pas été blessée, Owen ne l'avait même pas aperçue nue. Bien sûr, elle aurait largement préféré ne pas l'avoir vu en slip, mais elle doutait que cela la traumatise longtemps. Et en plus, son patron ne la harcèlerait plus jamais.

Elle fut tout aussi étonnée de la gratitude qu'elle avait éprouvée en voyant surgir Dan, et elle ne put que se demander si elle aurait été aussi heureuse de voir quelqu'un d'autre accourir à sa rescousse…

Alors qu'elle s'habillait, elle revint une fois de plus sur son plan. Plus elle y pensait, plus il lui paraissait logique. Et maintenant, elle savait que Dan serait quelqu'un sur qui elle pourrait toujours compter. C'était bon à savoir.

Elle n'avait eu à compter que sur elle-même depuis si longtemps qu'elle ne se sentait pas totalement à l'aise avec cette notion de pouvoir compter sur quelqu'un. Son père était mort des années auparavant, et sa mère avait toujours été une personne inconséquente, à qui elle n'avait jamais pu se fier, alors elle s'était débrouillée par elle-même. Poser sa candidature pour l'université, chercher son premier appartement, son premier job… toutes les recherches, elle les avait faites seule. Et elle supposait que sur ce point-là, Dan et elle étaient semblables. Même si, d'après ce qu'il lui avait dit, il était proche de sa mère. Elle ne pouvait d'ailleurs pas s'empêcher d'éprouver un pincement de jalousie face à ce qui avait tout l'air d'être une très belle relation. Et même si le manque d'intérêt de sa famille à elle lui avait laissé le champ libre pour suivre son propre chemin en toute liberté, sans aucune interférence.

Là était justement une de ses peurs de s'engager trop vis-à-vis de Dan. Vis-à-vis de n'importe qui, d'ailleurs. Elle ne jouait pas très bien le jeu avec les autres et ne l'avait jamais fait. Son but avait toujours été d'être le capitaine de l'équipe, le plus gradé, celui qui dirigeait. Jamais un subalterne. C'était d'ailleurs cela qui rendait son travail aussi important. Après la réussite de la campagne pour

New Dawn, le vrai bonus qu'elle allait recevoir dans sa nouvelle position, quelle qu'elle soit, serait la liberté. Elle allait pouvoir négocier une position de vrai pouvoir. Et plus d'Owen à supporter !

C'était un plan solide, et vu son succès jusqu'à présent, il allait se concrétiser de manière merveilleuse. Ce serait par ailleurs fascinant de voir ce qui se passait après la fin du règne d'Owen le libidineux. Geller & Patrick pourraient peut-être bien lui demander de prendre sa place. Et s'ils payaient assez, elle pourrait bien sauter sur l'occasion. Il y avait tant d'idées nouvelles qu'elle voulait mettre en pratique au sein de la compagnie.

Habillée, elle vérifia son apparence dans le miroir, se passa un coup de brosse dans les cheveux et retourna dans le salon. Dan raccrochait tout juste le téléphone.

— Je vais faire un saut au poste de police pendant que tu vas à Central Park. Combien de temps penses-tu y rester ?

— Des heures, malheureusement. Il va falloir attendre que la dernière personne soit arrivée au point de rendez-vous. Ce qui peut nous emmener très tard.

— Et le dîner ?

— J'enverrai quelqu'un chercher une pizza.

— O.K. J'appellerai avant de vous rejoindre et tu me diras si tu veux que j'apporte à manger.

— Super. Merci.

Elle baissa les yeux sur sa montre. Il était tard. Marla faisait probablement déjà les cent pas en bas. Elle attrapa Dan par la taille, lui donna un rapide baiser.

Il l'embrassa en retour, et elle fila vers la porte, puis vers l'ascenseur. Ce ne fut que pendant la descente de l'appareil qu'elle se rendit compte qu'elle n'avait plus besoin des services de Dan. Owen définitivement sorti du paysage, elle n'avait plus besoin d'une escorte...

21 h 30 venaient de sonner à l'horloge du commissariat quand Dan en sortit. Il avait fait en sorte qu'Owen ne s'en sorte pas indemne. En fait, il avait tout fait pour qu'il en soit franchement éclaboussé.

Il tendit le bras pour héler un taxi et composa le numéro du portable de Jessica. Elle décrocha à la cinquième sonnerie et le salua d'un ton pressé.

— Veux-tu que j'apporte des pizzas ? demanda-t-il.

Un silence.

Il attendit.

— Oui, s'il te plaît. Quatre ou cinq, grand modèle. Deux avec du fromage seulement, deux aux pepperoni et une végétarienne.

— Noté. Et les boissons ?

— Ne t'en fais pas pour ça, il y a un vendeur ambulant juste à côté.

— Je devrais être là dans trois quarts d'heure.

— Super. Oh, Dan ?

Il ouvrit la portière d'un taxi qui venait de s'arrêter devant lui.

— Oui ?

— Tu n'es pas obligé de faire ça, tu sais.

— Je sais. Maintenant, retourne travailler. Je te passerai un coup de fil si je suis retardé.

— Ça marche.

Et elle raccrocha.

Il indiqua l'adresse de sa pizzeria préférée, qui se trouvait proche de Central Park. Et comme il avait le numéro dans son calepin, il put leur passer la commande par téléphone.

Le temps que les pizzas soient prêtes, il pourrait demander au chauffeur de l'attendre.

Il se laissa aller sur le siège, prit une profonde inspiration, puis expira de la même manière. Depuis l'instant même où il avait reçu l'appel de Jessica alors qu'elle se trouvait dans son bain, son cœur s'était mis à battre à cent quarante et il était tendu. Prêt à cent pour cent pour la bagarre, ce qui n'était pas très intelligent, puisqu'il s'était montré hautement désagréable avec un flic au poste de police, et il avait été à un cheveu de partager la cellule d'Owen la fripouille pour la nuit.

Il regarda les piétons qui passaient alors que le taxi se frayait un chemin dans la circulation et songea à la chance qu'il avait de rejoindre Jessica. Quelqu'un avait déjà gagné la croisière, il en était certain. Peut-être aimerait-elle en faire une avec lui. Une croisière. Ou peut-être qu'elle aimerait un tour en péniche sur la Seine.

Il s'en moquait, tant qu'il se trouvait avec elle.

Ce qui s'était passé ce soir l'avait conforté dans l'idée qu'ils avaient besoin d'être ensemble. Jessica était peut-être un peu directive sur les bords dès qu'il s'agissait de travail, mais elle n'en était pas moins une femme, et il était un homme, et son instinct tendait à vouloir la protéger, à s'occuper d'elle, à faire en sorte que jamais personne ne puisse lui faire du mal. Il voulait dormir tous les soirs avec elle, encastrés l'un dans l'autre, peau contre peau.

Si Owen avait eu le temps de lui faire du mal, jamais il ne se le serait pardonné…

Il poussa un soupir. Pourquoi s'énerver ? Tout s'était bien fini, et Owen était définitivement sorti de la vie de Jessica.

Comprenant ce que cela impliquait, il déglutit, la gorge serrée, et se redressa sur son siège. Il venait enfin de comprendre ce qu'avait voulu entendre Jessica en lui disant « Tu n'es pas obligé de faire cela ».

Il était officiellement au chômage.

18.

Les derniers concurrents n'atteignirent le lac de Central Park qu'à 23 h 53. Jessica avait depuis longtemps renvoyé Marla et Shawn chez eux, ainsi que tout le reste de son équipe. Elle donna au dernier couple son panier cadeau de produits New Dawn et l'assura qu'il avait le droit de conserver le système de GPS.

Cinq minutes plus tard, elle marchait lentement en compagnie de Dan vers la 55e Rue. Elle n'avait absolument pas dit un mot à Marla sur l'épisode Owen ; son assistante en entendrait parler suffisamment tôt comme cela. Dans le même temps, elle n'avait cessé de se demander ce qu'elle devait dire à Dan. Devait-elle lui demander de s'en aller ?

Cette idée la perturbait bien plus qu'elle ne l'aurait jamais imaginé. Elle avait pris l'habitude de l'avoir en permanence à son côté. Et tout ce dont elle avait envie, là, maintenant, c'était de regagner leur suite et de se mettre au lit avec lui. Elle imaginait si bien le réconfort de ses grands bras, et même si elle avait fait bonne figure face aux concurrents, aux médias et à la foule de curieux, elle ressentait un véritable besoin d'être prise en charge et réconfortée.

Il n'y avait pas beaucoup de circulation à cette heure de la nuit ni, pour cette même raison, pas beaucoup de taxis. Mais Dan leur dénicha un… équipage. Une vraie calèche, à laquelle rien ne manquait. Un cocher portant haut-de-forme, un cheval pommelé. Et Dan réussit même à convaincre le cocher de les emmener jusqu'à l'hôtel.

Il monta le premier, puis tendit la main à Jessica. Elle l'attrapa, se hissa dans la calèche et se laissa choir sur le siège de cuir. Il passa le bras autour de ses épaules alors que le cheval démarrait. Le bruit de ses sabots résonnait dans les rues presque vides et silencieuses, parfois assourdi par le ronflement d'un moteur de voiture. Jessica avait l'impression de se trouver ailleurs qu'à New York, dans un endroit magique.

Et les quelques journées qu'elle venait de passer avec Dan n'avaient-ils pas été magiques, justement ? Quand avait-elle pour la dernière fois songé à quelque chose d'aussi fantasque ? Pas depuis qu'elle était une petite fille, c'était certain. Sa mère avait l'habitude de clamer à qui voulait l'entendre que sa fille était la fille la plus ennuyeuse de Tulsa. Ce qui l'avait fait pleurer, la première fois qu'elle l'avait entendu. Mais, au terme de sa scolarité, quand elle avait été acceptée à Harvard, elle s'était dit que l'ennui dont sa mère l'accusait lui avait quand même permis de réussir mieux que beaucoup d'autres.

— Me trouves-tu ennuyeuse ? demanda-t-elle.

Dan s'étrangla de rire, et Jessica se sentit mieux.

— Tout sauf ça, ma belle ! Pourquoi ?

— On m'accusait toujours d'être ennuyeuse quand j'étais petite. Et personne ne m'a jamais donné l'impression du contraire, sauf toi.

— Jamais je ne pourrais dire que tu es ennuyeuse. Energique, oui. Concentrée, absolument. Obsédée…

Elle lui posa un doigt sur la bouche.

— Pigé. Merci.

Il lui attrapa la main et en baisa délicatement les doigts.

— Tu es sûre que ça va ?

— Bien mieux que tout à l'heure. L'intrusion d'Owen dans la chambre m'a vraiment secouée.

— Pas étonnant. C'était une véritable violation de ton intimité.

— Je pense que j'aurais beaucoup mieux géré la situation si je n'avais pas été nue.

— Et moi, je pense que je n'aurais peut-être pas eu envie de le massacrer de mille et une manières si tu n'avais pas été nue.

Elle gloussa. Encore une chose qui ne lui était pas arrivée depuis… longtemps.

— J'aime ça, dit-il en laissant reposer sa tête sur la sienne.

— Quoi donc ?

— Le son que tu émets quand tu es heureuse.

— Je l'émets, ce son, souvent quand je suis avec toi. Ce qui est bizarre, si on considère que je viens de passer les cinq dernières années à essayer de toutes mes forces de devenir la fille la plus endurcie de toute la ville. Je passe cinq jours avec toi, et voilà que je me transforme en imbécile sentimentale et gloussante.

— Excellent.

Elle tourna la tête pour le dévisager.

— Pourquoi est-ce excellent ?

— Parce que tu m'as embrouillé les idées, toi aussi. C'est complètement dingue. Mais pour la première fois depuis des années, quelque chose est devenu plus important à mes yeux que mes propres projets de recherche. Je n'aurais jamais cru que cela pourrait m'arriver.

— Est-ce pour cela que tu ne m'as plus posé d'autres questions ?

L'attelage tourna à gauche, et ils se retrouvèrent tous deux déportés contre la portière. Quand ils se furent redressés, Dan s'éclaircit la gorge.

— En fait, il y a une question que j'aimerais te poser.

Elle se redressa et croisa les bras.

— Seulement si tu me laisses t'en poser une à mon tour.

— Vas-y la première alors.

— Tu es sûr ?

Il opina de la tête.

Elle prit une grande inspiration, pas certaine que l'heure soit idéalement choisie. Mais elle n'avait pas envie qu'il parte, alors…

— J'ai réfléchi, commença-t-elle, à la fin de tout ça. Je veux dire, maintenant qu'Owen ne me pose définitivement plus aucun problème, notre marché est plus ou moins caduque.

Elle sentit la main de Dan se poser sur sa nuque et y rester. De longs doigts, une pression délicate. Un geste possessif sans être arrogant ou dominateur. Un geste parfait.

— Je me suis dit qu'on aurait peut-être envie de, euh… continuer à se voir, tous les deux.

— Ah, dit-il.

— Mais pas dans le sens traditionnel. Ce que je veux te proposer, c'est un truc un peu plus exceptionnel.

La main quitta sa nuque, et elle regretta aussitôt son départ. Un seul regard à son visage lui apprit qu'elle aurait intérêt à s'expliquer très vite, car son regard s'était assombri.

— Ecoute-moi jusqu'au bout avant de prendre une décision, dit-elle en se déplaçant légèrement afin de pouvoir le regarder. Je pense que tu seras d'accord avec moi pour dire que cette semaine a été des plus remarquables. Il est devenu évident qu'il y a un lien spécial entre nous, qu'on s'accorde parfaitement, sexuellement. On a tous les deux des vies très occupées, on est tous les deux indépendants et pas du tout dans le besoin.

— Qu'est-tu en train de dire ?

— Je dis que nous devrions nous retrouver plusieurs fois par an à périodes données. En fait j'avais pensé à quatre fois par an. Pour une semaine complète. On irait quelque part où personne ne nous connaît. On ferait l'amour jusqu'à n'en plus pouvoir. Pas de complications, pas de pression. Juste de l'amusement et du sexe et la perspective délicieuse de recommencer trois mois plus tard.

— Je vois, répondit Dan platement.

— A te voir, justement, tu n'as pas l'air de trouver mon idée formidable.

— Non, non. Je vois certainement tous les avantages qu'elle pourrait avoir.

— Tu ne l'aimes pas.

— Pas du tout. Elle est parfaitement logique. Pour toi.

— Mais pas pour toi.

Il lui sourit, avec un visage triste comme elle ne l'avait encore jamais vu.

— Tu sais quelle question je voulais te poser ?

Elle secoua la tête.

— Je voulais te demander de m'épouser, Jessica. Pas tout de suite, mais pas dans des années non plus. Je t'aime.

— Tu m'aimes ?

Il la regarda sans répondre.

— Mais on ne se connaît que depuis cinq jours !

— Je sais. Peu importe.

— Comment ça, peu importe ?

— Je n'avais encore jamais ressenti les sentiments que j'ai quand nous sommes ensemble. La raison pour laquelle je ne t'ai plus posé de questions réside dans le fait que, pour la première fois de ma vie, je préfère le mystère. Je n'aimerais pas être capable d'anticiper ce que tu vas faire. Je ne trouve pas cela frustrant, et ça, je ne l'aurais jamais cru. Au contraire, ne pas tout savoir de toi ne rend le quotidien que plus fabuleux encore. Je ne peux imaginer un meilleur lendemain, et le lendemain suivant, et le surlendemain, qu'en cherchant à comprendre un peu mieux le mystère que tu es.

Des larmes brûlantes montèrent aux yeux de Jessica, et elle cilla pour les empêcher de couler en tournant la tête afin que Dan ne s'aperçoive pas de son émotion. Ce qu'il venait de dire la perturbait plus qu'un refus clair et net. Il voulait l'épouser ? C'était tout ce dont elle avait le plus peur, et cependant elle ne pouvait s'empêcher d'être émue, avec une telle intensité qu'elle n'en revenait pas.

Cette idée était ridicule, bien évidemment. Mais aussi merveilleuse.

— Dan, c'est ridicule.

— Je sais.

— La raison principale pour laquelle je t'ai embauché, c'était justement parce que je refuse toute sorte d'engagement. Maintenant qu'Owen est sûr d'être flanqué à la porte, il est devenu primordial que je conserve la tête claire. Quand je suis avec toi, je ne peux pas me concentrer exclusivement sur mon travail. Il m'est presque impossible de travailler correctement.

— Mais ça changerait si nous savions que c'est pour toujours…

— Oh, vraiment ? Tu en es sûr ?

Il la dévisagea longuement.

— Non. A la vérité, je pense que tu me déconcentreras tout le temps. Non que je ne fasse plus rien bien sûr, mais tu seras toujours là. Tu seras là toujours en premier dans mon esprit.

— Ce qui est justement ce que je ne peux pas te donner. S'il te plaît, Dan, j'ai juré que je ne me mettrais jamais dans une position où j'aurais à faire un choix entre mon travail et l'amour. Ne me mets pas dans une telle position. Pourquoi n'accepterais-tu pas mon offre ? Au moins essaye. On pourrait se revoir dans trois mois exactement. Tu choisis l'endroit, et je serai au rendez-vous. Quel que soit le poste que j'obtiendrai, je négocierai mon emploi du temps pour être libre cette semaine-là.

Elle effleura sa main alors que l'attelage s'immobilisait devant l'entrée de l'hôtel.

— S'il te plaît, Dan ?

Il la prit par l'épaule et l'embrassa brièvement.

— Je vais y réfléchir.

— Tu montes avec moi ce soir, n'est-ce pas ?

— Oui, bien sûr.

Elle poussa un soupir de soulagement. Car elle n'avait pas envie de passer la nuit seule.

— Merci.

— Tu n'avais même pas à le demander. Tu as besoin de moi, je suis là.

Elle sourit, n'osant lui demander si c'était juste pour ce soir, ou pour toujours. Il devait certainement se rendre compte que non seulement il était prématuré de parler mariage, mais que cette idée de mariage signifiait que leur relation était la chose la plus importante au monde, ce qu'elle, justement, ne pouvait se permettre d'admettre.

Pas alors qu'elle était si près du but.

Le portier l'aida à descendre de l'attelage, et elle se dépêcha d'aller payer le cocher pendant que Dan descendait à son tour. Elle lui donna un pourboire exorbitant, mais peu importait. Dan la rejoignit et lui sourit d'un étrange sourire crispé qui la mit sur les nerfs. Elle s'efforça de déchiffrer son expression dans son reflet sur la porte de l'ascenseur. Pas moyen.

Et son cœur se serra. S'il ne comptait pas lui faire l'amour, alors cela voulait dire qu'il n'allait pas accepter son plan. Elle avait été folle d'espérer.

— Tu n'as pas vraiment besoin de rester ce soir, dit-elle en marquant une pause sur le chemin de la chambre. Et si tu préfères dormir dans ton lit, je comprendrai.

— Non, je préfère rester. Tu as eu une dure journée.

— Merci.

— Qu'y a-t-il de prévu pour demain ?

— J'ai comme l'impression que je vais devoir discuter du budget New Dawn avec le président de la compagnie. Et puis il y aura le cocktail ici, à l'hôtel.

— Bon, tu ferais bien de filer au lit. Il vaudrait mieux que tu aies les idées claires quand ils commenceront à te proposer la place d'Owen.

— Je l'espère.

— Ils vont le faire, répondit-il, plein de confiance. Tu es tout ce dont une compagnie pourrait rêver. Ils seraient fous de ne pas te donner la position que tu souhaites.

— Merci, Dan. Ta confiance dans mes capacités signifie énormément pour moi.

— Ce n'est que la vérité.

Elle pivota, alla vers lui, se mit sur la pointe des pieds et l'embrassa sur les lèvres.

— Tu es le bienvenu là-bas, chuchota-t-elle en désignant la chambre de la tête.

— Merci, mais il vaut probablement mieux que tu dormes. Ce que nous ne faisons généralement pas quand je suis là…

Elle soupira.

— Tu as raison. J'en aurai bientôt fini avec la salle de bains.

— Prends ton temps.

Elle voulut en dire plus, ajouter des arguments à sa plaidoirie, mais décida de se taire. Demain, elle reviendrait à la charge. Elle était une fichtrement bonne publicitaire. Elle saurait faire changer Dan d'avis.

Etendu dans son lit, Dan réfléchit pendant des heures à la proposition de Jessica. Son plan était saisissant dans sa simplicité et, à première vue, l'idée était parfaitement sensée.

C'était bizarre qu'il n'y ait pas songé du tout, pas même une seule fois.

Mais aussi, tant de choses avaient été étranges dans cette semaine. Sa distraction, son attirance pour une femme qu'il connaissait à peine et avec qui il avait passé très peu de temps, et pourtant tout cela lui paraissait étrangement familier. Il comprit, dans un sursaut, que ce qu'il vivait avec Jessica lui rappelait ses parents.

En fait, sa mère avait compris à l'instant même où elle avait rencontré son père qu'ils allaient se marier. Il avait fallu à son père un jour de plus pour comprendre la même chose parce que c'était une nuit d'éclipse. Piètre excuse d'astronome, mais à laquelle il s'était tenu depuis le jour de leur mariage.

Voulait-il ce mariage avec Jessica parce qu'il voulait le bonheur qu'avaient trouvé ses parents ? Exagérait-il ses sentiments vis-à-vis de Jessica ?

Il ne le croyait pas. Mais il ne pouvait être sûr de rien.

Il lui restait donc une seule chose à faire. Accepter le plan de Jessica jusqu'à ce qu'il soit certain de ses sentiments. S'il éprouvait les mêmes dans trois mois, alors il n'aurait plus aucun doute.

Jessica regarda Dan qui se trouvait de l'autre côté de la pièce. Le cocktail était la réception finale de la semaine de promotion, et tout le monde, depuis le président de New Dawn Cosmétiques jusqu'au P.-D.G. de Time Warner, était venu. Elle était devenue la chérie du monde commercial et avait reçu un nombre étourdissant d'offres. La plus tentante, pour l'instant, était de prendre la vice-présidence exécutive de Geller & Patrick, non pour remplacer Owen, mais pour diriger effectivement tout le marketing et la promotion pour l'intégralité de la compagnie. Le salaire qu'ils lui avaient proposé était astronomique sans compter tous les avantages en nature : voiture, appartement de fonction, etc. Elle pouvait obtenir plus qu'elle n'aurait jamais pu espérer, ses rêves satisfaits au-delà de l'imaginable.

Maintenant, si Dan voulait accepter son plan, elle serait comblée. Malheureusement, il ne lui avait pas dit s'il était d'accord. Et elle ne savait plus trop ce qu'elle pourrait faire pour arriver à le convaincre.

Il rit de quelque chose que lui avait dit Marla et, en dépit du nombre de personnes agglutinées dans la pièce, sa voix lui fut audible par-dessus le brouhaha. Ce n'était pas qu'elle soit forte, non, mais elle était distincte. Enfin, pour elle tout du moins.

Tout en lui était unique. Son attitude, son honnêteté, son style. Elle ne voulait pas le perdre, et là était sa plus grande frayeur. S'il n'acceptait pas son offre de liaison intermittente, que ferait-elle ? Pourrait-elle lui dire adieu et arriverait-elle à partir sans se retourner ? Comment serait-ce possible ? D'un autre côté, comment pourrait-elle accepter une relation suivie alors que sa carrière devait devenir sa priorité absolue ?

New Dawn n'avait été qu'un budget, et il avait pourtant avalé une année entière de sa vie. Elle ne pouvait pas compter les nuits durant lesquelles elle avait travaillé jusqu'à minuit passé. Elle n'avait jamais pris une semaine entière de congé. Comment pourrait-elle donner du temps à Dan alors qu'elle n'en avait pas ?

Shawn, splendide dans un costume Versace gris anthracite, rejoignit Marla et Dan. Il posa un bras autour des épaules de Marla, et ils s'embrassèrent rapidement. Il lui sourit, elle lui sourit en retour, et même depuis cette distance, elle comprit qu'ils étaient tous les deux amoureux.

Eux aussi s'étaient rencontrés au début de la semaine. Marla lui avait dit cet après-midi que Shawn lui avait demandé de l'accompagner dans le Montana pour quelques jours et elle avait accepté. Autant elle était ravie pour son assistante, autant elle n'était pas certaine que ça marche, pour eux deux. Bien sûr, Shawn semblait parfait, il paraissait aimer Marla profondément, et elle était certaine qu'au fond de son cœur, il était persuadé qu'ils étaient faits l'un pour l'autre. Mais comment pourraient-ils le savoir ? C'était ridicule pour n'importe qui de penser qu'après quelques jours l'amour pouvait vraiment arriver. Le véritable amour. Pas la passion sexuelle, l'amour avec un A majuscule.

Son regard revint sur Dan. Et lui, comment pouvait-il le savoir ? Cela n'avait aucun sens, ce n'était ni logique ni même intelligent.

L'amour, c'était déjà assez dur quand toutes les circonstances étaient idéales. La meilleure amie de sa mère avait été mariée plus de quarante ans avant de découvrir que son mari avait une maîtresse. Leur divorce avait été un véritable cauchemar d'amertume et de rancœurs.

Sa propre tante, follement amoureuse d'un artiste, avait laissé tomber sa carrière d'ingénieur chimiste pour le suivre au Costa Rica. Un an plus tard, il avait claqué toutes ses économies et l'avait plaquée pour une gamine de dix-neuf ans.

Tout en sirotant son Martini, elle s'en fut vers le trio, même si elle aurait pu continuer à passer de la pommade aux grosses huiles autour d'elle. Au moins devrait-elle faire risette à son patron.

— Eh, voici la femme de l'année ! s'écria Marla avec un grand sourire. C'est vrai ?

— Quoi donc ? l'interrogea-t-elle en laissant courir son regard de Marla à Dan, puis de Dan à Marla.

— Que tu vas devenir la nouvelle vice-présidente exécutive de Geller & Patrick ?

— Peut-être. On négocie.

— Super.

Elle sourit.

— Si j'obtiens le poste, cela veut dire une promotion canon pour toi.

Le sourire de Marla s'estompa légèrement et elle détourna les yeux. Shawn resserra son étreinte.

— En fait, Jessica, dit-elle après s'être éclairci la gorge, je ne suis pas certaine de revenir travailler. Après ces quelques jours de vacances, je veux dire. Non que je n'aimerais pas travailler encore avec toi, mais il est possible que je déménage. Dans le Montana. Avec Shawn.

— Quoi ?

— Oui. C'est vrai que c'est assez soudain, mais Shawn a préparé ça depuis longtemps, et il y a un ranch à vendre. C'est l'endroit de ses rêves, alors il s'est dit qu'il allait l'acheter et tenter le coup d'y vivre.

— Et toi aussi ?

Marla hocha la tête, la mine coupable.

— Je ne veux pas déménager sans elle, intervint Shawn. Je suis fou d'amour pour elle et je voudrais qu'on commence une nouvelle vie loin de toute cette agitation.

— Je suis heureuse pour vous.

— Vraiment ? lui demanda Marla.

— Oui, vraiment.

Marla se remit à sourire.

— Et toi et Dan ? Tous les deux, c'est officiel ?

Dan se mit à rire.

— Non, plutôt non officiel. Ta future ex-patronne a des idées extravagantes sur notre avenir et j'ai décidé de les explorer avec elle.

Elle pivota face à lui. Etait-ce cela, vraiment, sa réponse ?

— Sérieux ?

— Sérieux, dit-il en opinant du chef.

Elle se sentit étourdie tant elle était soulagée.

Il se rapprocha d'elle, passa un bras autour de sa taille et l'embrassa sur les lèvres, puis il posa sa bouche contre son oreille :

— Cela ne change rien à mes sentiments, murmura-t-il. Je t'aime. Je veux t'épouser. Mais je peux attendre. Au moins un petit moment.

Elle ferma les yeux, rêvant un instant d'être plus semblable à Marla, mais ce n'était pas le cas. Elle était Jessica. L'ennuyeuse, l'obsédée, l'intoxiquée de travail Jessica. Elle ne pouvait tout simplement pas être autrement.

19.

Dan songea à laisser son répondeur répondre pour lui quand le téléphone sonna. Il était déjà en retard pour aller chez sa mère, et il avait pas mal de choses à se faire pardonner. Sa chatte avait non seulement fait pipi dans les chaussures maternelles, mais elle lui avait laissé quelques autres... cadeaux... intéressants dans un assortiment de tiroirs et de recoins inaccessibles. Le plus nauséabond était une souris morte, et la plus grande surprise un lézard. Cela faisait maintenant une semaine qu'il avait récupéré son démon à quatre pattes, mais sa mère était encore de mauvaise humeur.

D'un autre côté, cet appel était peut-être important. Il referma la porte à la volée et courut vers le téléphone, qu'il décrocha une seconde avant que son répondeur ne se mette en route.

— Allô !

Rien. Pas même une respiration. Bizarre.

— Allô !

— Euh, c'est moi... Salut.

Il recula en trébuchant vers son fauteuil et s'y laissa choir. Jessica n'était pas censée l'appeler. Ils n'étaient pas censés se parler avant un bon mois, au moins. Selon les règles qu'elle avait établies.

— Est-ce que tu vas bien, Jess ?

— Oui, très bien.

— Eh bien, c'est parfait.

Elle s'éclaircit la gorge.

Il se demanda où elle était. A cette heure-ci, 19 h 30, où voulait-il qu'elle soit sinon encore au travail ?

— Comment vas-tu ? s'enquit-elle.

Il ne put s'empêcher de sourire. Pour une fois, Jessica semblait avoir perdu sa langue !

— Je vais bien, Jessica. Très bien.

— Super. J'en suis ravie.

Il décida d'attendre qu'elle se décide à lui donner la véritable raison de son appel. Peut-être qu'elle avait décidé que leur « sexathon » trimestriel était une idée idiote. Depuis une longue semaine qu'ils s'étaient dit au revoir, elle était peut-être revenue à la raison et compris que ce n'était rien d'autre qu'une immense stupidité.

D'un autre côté, peut-être que, tout comme lui, elle s'était rendu compte que trois mois, c'est épouvantablement long quand on a envie de l'autre. Et que l'amour pouvait vraiment arriver sans crier gare.

— J'ai accepté le poste chez Geller, finit-elle par dire.

— Fantastique. Raconte-moi tout ça.

— J'en ai bien l'intention, mais pas au téléphone.

Son estomac se serra. Elle voulait rompre.

— Non, non, non, ne pense surtout pas ça.

— Quoi donc ? demanda-t-il, perplexe.

— Je ne veux rien changer à ce qu'on a décidé. C'est juste que… tu me manques.

Bingo. Il sourit.

— C'est excellent, ça. Toi aussi, tu m'as manqué.

— Alors, si on se retrouvait demain ? Déjeuner ? 13 heures ?

— Oui, génial. Bien sûr. Où tu veux.

— Mon assistante te passera un coup de fil. Il faut que je file. A demain.

— A demain. Je t'aime.

Mais elle avait déjà raccroché.

Jessica descendit en vitesse du taxi et tira sur sa jupe alors qu'elle marchait d'un pas pressé en direction de l'appartement de Dan. Elle était en retard. Encore une fois. Pauvre Dan, si patient. Et il n'avait pas une seule fois tenté de lui faire abandonner son plan. Au cours des trois dernières semaines, elle était passée de le voir une fois par semaine à deux fois puis à quatre cette semaine.

Ils avaient mangé des sandwichs dans son bureau, des hot dogs devant un marchand ambulant ; il lui avait préparé deux fois à dîner chez elle, suivis, bien entendu, par deux petits déjeuners.

Où qu'ils se retrouvent, il lui parlait de son travail, du sien, de Marla et de Shawn, de la disgrâce d'Owen, de sa famille, de la sienne... et le plus bizarre dans tout cela, c'était que son travail n'en avait absolument pas souffert. On aurait même dit qu'il lui apportait un surplus d'énergie. Dan comprenait la pression qu'exerçait sa nouvelle position sur elle et jamais il ne se plaignait quand elle devait répondre au téléphone ou modifier un rendez-vous.

Il s'était lui-même investi dans un nouveau projet, qui se révélait aussi fascinant pour elle que pour lui. Son nouveau cheval de bataille était la résurgence de la publicité subliminale, discréditée des années plus tôt, mais qui refaisait surface de plus belle avec l'avènement d'Internet.

Elle sourit au portier et prit l'ascenseur. Le cœur battant, elle arriva à son étage. Voir Dan illuminait immanquablement sa journée. Ou sa nuit. Chaque fois qu'elle le voyait, elle se faisait l'impression d'être une collégienne ayant un béguin XXL, et ce soir ne faisait pas exception.

Il lui ouvrit avec un sourire si accueillant qu'elle se sentit parcourue de frissons. Mon Dieu, qu'il était beau ! Chemise de popeline blanche aux manches relevées sur les bras, pantalon kaki, cheveux ébouriffés, et aussi sexy que le péché. Et qu'elle aimait la manière dont il la regardait ! Quand il l'embrassa, ce fut toujours la même chose : un feu d'artifice.

— Tu es ravissante, dit-il en la précédant dans l'appartement.

Elle sourit de nouveau en apercevant la table magnifiquement dressée d'une rose dans un soliflore et de chandelles allumées.

— Merci.

— Le succès te va comme un gant, poursuivit-il en la prenant dans ses bras.

— Ce n'est pas encore le succès, répondit-elle en posant la tête sur son épaule. Donne-moi un peu de temps.

— N'importe quoi. Peu importe ce qui se passe au travail, tu as déjà gagné. Tu as obtenu ce que tu voulais, et tu l'as gagné par un labeur acharné et ton intelligence. Quoi de mal à cela ?

Elle se mit à rire.

— J'ai eu des nouvelles de Marla, aujourd'hui.

— Et ?

— Shawn et elle ont choisi la date. Ils veulent qu'on vienne à leur mariage.

— Dans le Montana ?

— Oui. Le mois prochain.

— Ça devrait être sympa. Tu pourras te libérer ?

— Pour deux jours, pas de problème. Je ne manquerais cela pour rien au monde.

— Super, alors. Moi aussi je me libérerai.

— Je ne t'ai pas encore donné la date.

— Aucune importance, dit-il en refermant les mains sur les siennes. Je serai là.

Elle plissa le nez, humant l'air parfumé de romarin et de cannelle.

— Qu'est-ce que c'est ? voulut-elle savoir. Ça sent diablement bon.

Il lui présenta une chaise, attendit qu'elle se soit assise, et se dirigea vers la cuisine.

— Pourquoi ne nous servirais-tu pas un verre de vin pendant que je vais chercher le plat ?

Elle s'exécuta, d'autant plus ravie qu'elle adorait le pinot gris. Il fut bientôt de retour, une marmite fermée dans les mains qu'il posa devant elle.

— C'est du poulet. Une des recettes de ma mère.

Quand il souleva le couvercle, elle poussa un soupir de contentement.

— Ça a l'air fameux.

— Toi aussi, dit-il en se penchant vers sa bouche.

Avant même de s'en rendre compte, elle fut debout entre ses bras, l'embrassa et glissa les mains sous sa chemise. Et toute idée de dîner, aussi appétissant fût-il, disparut de son esprit.

Ils revinrent à table une heure plus tard, épuisés mais heureux, et quand il eut fait réchauffer le plat et l'eut de nouveau posé sur la table, elle le regarda en souriant.

— Mon Dieu, Dan, que vais-je bien pouvoir faire de toi ?

Il releva la tête.

— Tu veux vraiment que je réponde à cette question ?

Elle y réfléchit une longue seconde, mais les papillons qu'elle avait encore dans l'estomac dansaient une telle sarabande qu'elle su d'instinct ce qu'il allait lui dire.

— Oui, répondit-elle quand même.

— Eh bien, tu pourrais m'épouser. Jessica, je veux t'épouser. Je veux me coucher tous les soirs avec toi. Je veux me réveiller chaque matin près de toi. Je veux préparer tes sandwichs pour ton déjeuner et je veux t'entendre me raconter ta journée tous les soirs.

Elle étudia son beau visage et vit la sincérité illuminer son regard. Il l'aimait. Il n'y avait aucun doute sur ce point. Il le lui avait démontré de toutes les manières possibles.

Ce qu'il ignorait, en revanche, c'était qu'elle avait procédé à quelques recherches de son côté, qui n'avaient rien à voir avec son travail. Elle avait lu des livres traitant de l'amour. Du mariage. De ce qui le faisait durer.

Et ce qu'elle avait découvert, c'était qu'il n'existait aucune réponse magique. Il n'y avait pas de règles à suivre, pas de plan de campagne derrière lequel se cacher. Les seuls guides dont elle disposait étaient les siens propres. Que lui disait son cœur ? Quels étaient ses instincts quant à cet homme, cet avenir qu'il lui proposait ?

Elle posa un coude sur la table et cala son menton dans sa main.

— Puis-je te dire quelque chose ?

— Bien sûr.

— Voilà ce que je sais : je n'ai jamais aimé personne auparavant, ce qui fait que je ne sais absolument pas si j'aime de la bonne manière. Je n'ai certainement jamais eu une confiance totale en quelqu'un. Tu as vu ce que je fais, ce que j'ai besoin de faire, et tout ce que j'ai obtenu de toi, c'était de l'amour, du soutien et de la confiance.

— Mais... ?

Elle sourit, se pencha en avant et lui posa un baiser sur les lèvres.

— Alors que dirais-tu, Dan Crawford, si nous partions dans le Montana pour notre lune de miel ?

L'espace d'un instant, il ne changea pas d'expression. Puis tout son visage s'éclaira et il sourit. Ah, ce sourire !

— Tu es sûre ?

Elle hocha la tête.

— Et toi, tu es sûr en ce qui me concerne ?

— Je t'ai dit une fois que je voulais passer le restant de ma vie à découvrir le mystère que tu es. Je n'ai pas changé d'avis.

Elle soupira. Et vint se blottir au creux de ses bras. En sécurité. Son souffle lui caressait la joue. Alors qu'elle fermait les yeux, elle perçut quelque chose de nouveau, d'inconnu.

Et puis elle comprit... elle était arrivée à bon port.

Chère lectrice,

Vous nous êtes fidèle depuis longtemps?
Vous venez de faire notre connaissance?

C'est pour votre plaisir que nous avons imaginé un rendez-vous chaque mois avec vos auteurs préférés, vos AUTEURS VEDETTE dans les collections Azur et Horizon.

Les AUTEURS VEDETTE vous donneront rendez-vous pour de nouveaux livres vedette.

Pour les reconnaître, cherchez l'étoile... Elle vous guidera!

Éditions Harlequin

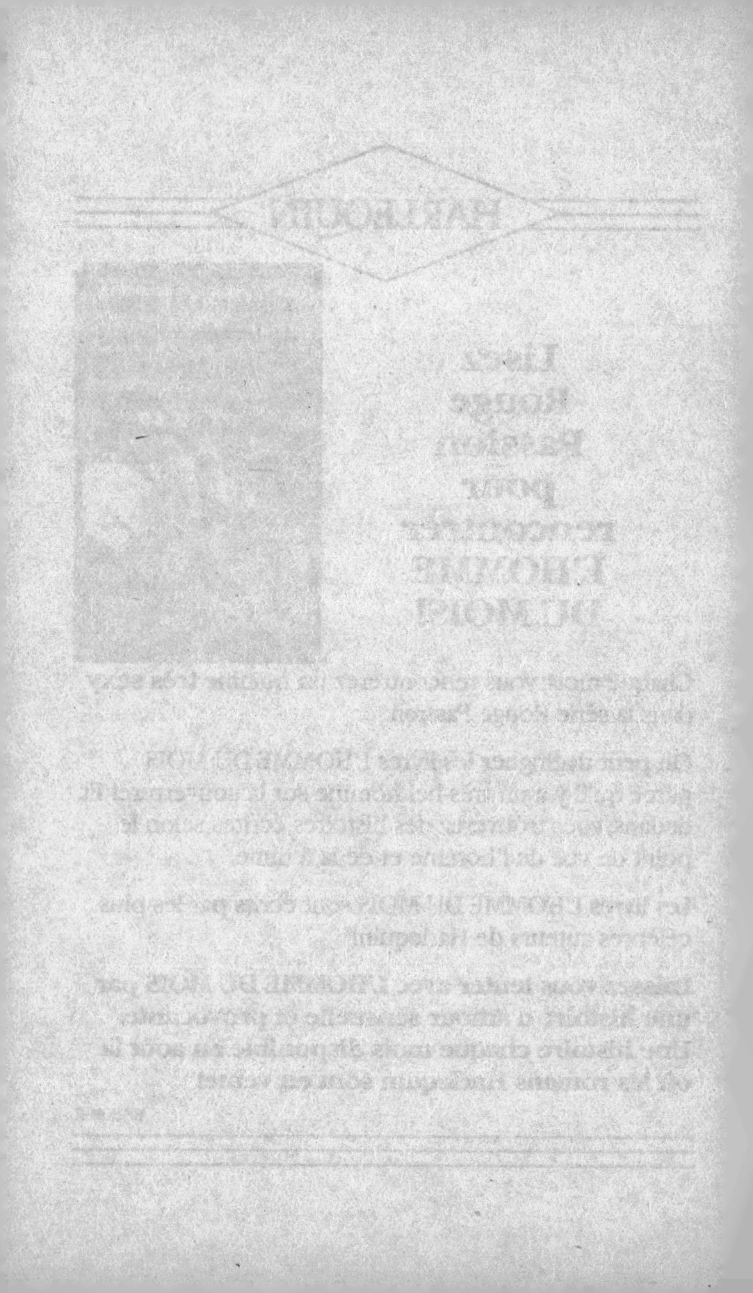

Composé et édité par les
éditions Harlequin
Achevé d'imprimer en septembre 2005

BUSSIÈRE
GROUPE CPI

à Saint-Amand-Montrond (Cher)
Dépôt légal : octobre 2005
N° d'imprimeur : 52080 — N° d'éditeur . 11619

Imprimé en France